HOCKEY COMMENT JOUER COMME LES PROS

JOFA
21
Supra

À LA MANIÈRE DE LA LNH®

SEAN ROSSITER

et PAUL CARSON

HOCKEY

COMMENT JOUER COMME LES PROS

Traduit et adapté par Gil Courtemanche

97-B, Montée des Bouleaux, Saint-Constant, Qc, Canada, J5A 1A9
Tél. : (450) 638-3338 / Télécopieur : (450) 638-4338
Site Internet : www.broquet.qc.ca / Courriel : info@broquet.qc.ca

À mon père, John Carson, qui a semé les graines du hockey dans ma vie très tôt et m'a servi de modèle tout au long du chemin.

PAUL CARSON

Au capitaine Alex Rossiter, qui fut capitaine d'une équipe des Forces canadiennes basées en Allemagne et qui affronta les Penticton Vees, champions du monde, en 1955. Son équipe perdit 11-3, mais elle marqua trois buts de plus que l'équipe de l'armée de l'air.

SEAN ROSSITER

Produit officiellement agréé par la LNH

Catalogage avant publication de Bibliothèque et Archives Canada

Rossiter, Sean, 1946-

Hockey : comment jouer comme les pros

Traduction de: Hockey : how to play like the pros.
Pour les jeunes.

ISBN 2-89000-686-7

1. Hockey - Ouvrages pour la jeunesse. I. Carson, Paul, 1955- . II. Titre.

GV847.25.R67814 2005 j796.962'2 C2005-940531-7

POUR L'AIDE À LA RÉALISATION DE SON PROGRAMME ÉDITORIAL, L'ÉDITEUR REMERCIE :
Le Gouvernement du Canada par l'entremise du Programme d'Aide au Développement de l'Industrie de l'Édition (PADIÉ) ; La Société de Développement des Entreprises Culturelles (SODEC) ; L'Association pour l'Exportation du Livre Canadien (AELC).
Le Gouvernement du Québec - Programme de crédit d'impôt pour l'édition de livres - Gestion SODEC.

Coordinatrice : Anne Rose
Conception graphique de la page couverture : Jessica Sullivan
Conception graphique : Peter Cocking
Photographes : Stefan Schulhof/Schulhof Photography
Photographie de la page couverture : Bruce Bennett/Bruce Bennett Studios

Pour l'édition en langue française :
Traduction et adaptation : Gil Courtemanche
Révision : Denis Poulet

Dépôt légal — Bibliothèque nationale du Québec
2e trimestre 2005

ISBN 2-89000-686-7

Imprimé en Chine par C&C Offset

TABLE DES MATIÈRES

Puissant et rapide, Mats Sundin est chez lui partout sur la glace, le long de la rampe ou devant le filet. Il peut travailler comme un plombier dans les coins, orchestrer des jeux et mettre la touche finale autour du but grâce à ses mains habiles et à son talent de marqueur.

Préface

Comme dans la LNH – Comment jouer comme les pros répond aux besoins de tous les jeunes de huit à douze ans qui souhaitent prendre une longueur d'avance dans le sport le plus rapide au monde. Les photos en couleurs de grandes vedettes de la Ligue nationale de hockey comme Mike Modano, Scott Niedermayer, Martin Brodeur et Markus Naslund illustrent leur talent et, en même temps, apprendront aux jeunes joueurs à s'inspirer de leur jeu et de leur technique.

Il est souhaitable que les jeunes joueurs en apprentissage essaient de jouer à toutes les positions pour qu'ils puissent bien comprendre tous les aspects du jeu. *Comment jouer comme les pros* enseigne comment jouer à toutes les positions. Vous découvrirez aussi dans ce livre les principes fondamentaux que sont le travail en équipe, le respect des règles et celui de vos adversaires. Pas besoin d'une vidéo ou d'un DVD pour apprendre à partir de ce livre.

Le hockey est l'un des sports les plus durs qui soient sur le plan physique. En tant que joueur, vous devez faire en sorte que le jeu soit le plus sécuritaire possible pour tous les joueurs sur la patinoire. Cela signifie notamment de garder votre bâton le plus bas possible et de maîtriser vos émotions. Il faut aussi respecter les arbitres et leurs décisions. Le hockey est un des seuls sports d'équipe où les adversaires se serrent la main lors de matchs importants. L'esprit sportif fait de notre sport national un des sports les plus beaux.

Ce qui fait ce grand sport, c'est beaucoup plus que l'élite de la Ligue nationale, ce sont les jeunes qui se lèvent tôt le matin pour se rendre à l'entraînement, les parents qui s'investissent et les entraîneurs qui consacrent leur temps et leur expérience à aider des jeunes à découvrir le hockey en même temps que la vie. Le hockey est synonyme de travail d'équipe, de persévérance et d'amitiés qu'il ne faudra jamais oublier, quel que soit le niveau que vous atteindrez.

Pat Quinn
Entraîneur-chef des Maple Leafs de Toronto

« Quand j'avais 15 ou 16 ans, je m'exerçais à bouger les pieds le plus rapidement possible. Je crois que ça m'a aidé et je continue de le faire. Cela contribue à développer à la fois l'accélération et la vitesse. »

ADAM DEADMARSH

FORME PHYSIQUE

ET ENTRAÎNEMENT

SI VOUS NE SAVEZ PAS PATINER, vous ne pouvez pas jouer au hockey. Voilà pourquoi, si vous voulez devenir un meilleur joueur, il vous faudra patiner mieux. Et si vous voulez être un très bon patineur, il vous faudra être fort et en forme.

Les clubs de la LNH le savent et ils emploient des spécialistes en éducation physique qui supervisent l'entraînement de chaque joueur en dehors de la glace.

C'est la même chose pour vous. Pour devenir un patineur rapide, il n'y a qu'un moyen : augmenter la force de votre torse et des muscles qui y sont reliés comme ceux des cuisses. Une plus grande force vous permettra d'adopter une position plus basse sur la glace, de mieux profiter du tranchant des lames en même temps que de chaque poussée en puissance. Et souvenez-vous, vous n'avez pas besoin d'une patinoire pour devenir plus fort. N'importe quel endroit fera l'affaire.

Quelques accessoires d'exercice très simples peuvent vous aider à développer la force de votre centre musculaire de telle sorte que vous serez plus solide sur vos patins. Si votre équipe n'en possède pas, rendez-vous au gymnase local.

Le ballon suisse

Beaucoup de joueurs de hockey utilisent un ballon suisse, ce gros ballon de plastique qui les aide à faire leurs exercices abdominaux. Servez-vous-en pour surélever les jambes pendant que vous effectuez vos redressements. Ou encore étendez-vous sur le dos en maintenant vos pieds au sol. Les redressements renforcent les abdominaux, qui constituent la principale source de force d'un joueur de hockey.

La planche d'équilibre

Pour développer votre sens de l'équilibre, servez-vous d'une planche d'équilibre montée sur un pivot. L'idée est simple. Que vous soyez

Renforcer son centre musculaire

Faire des redressements assis sur un ballon suisse aide Kellin à développer ses abdominaux.

Se tenir sur la planche d'équilibre développe l'équilibre et l'agilité de Michael.

Brad amorce son lancer les coudes et les genoux fléchis, puis en pleine extension.

assis, debout ou les genoux pliés sur la planche, si vous la maintenez stable, toutes les parties de votre tronc vont se renforcer. Au fur et à mesure que votre sens de l'équilibre se développera, vous pourrez demeurer plus longtemps sur la planche.

Le medicine-ball

Ce lourd ballon en caoutchouc peut vous aider à accroître la force de votre torse et de vos abdominaux. Avec un partenaire, lancez-vous le ballon avec les deux mains placées à la hauteur de la poitrine. N'oubliez pas de plier les genoux et les coudes quand vous recevez le ballon.

Exercices combinés

Pour mieux profiter d'un exercice, utilisez plusieurs pièces d'équipement en même temps. Cela rend l'entraînement plus intéressant et souvent plus efficace. Vous constaterez rapidement sur la glace les effets bénéfiques de ces exercices effectués à l'extérieur de la patinoire. Vos muscles seront plus résistants, vous pourrez vous tenir plus droit, plier vos genoux plus efficacement et plus longtemps, et acquérir un meilleur équilibre et une plus grande agilité.

Ballon suisse et medicine-ball

Assis sur un ballon suisse face à un partenaire, faites-lui des passes avec le medicine-ball. Ou encore installez-vous dos à dos sur le ballon suisse et échangez-vous le medicine-ball : vous tournez vers la gauche pour le lui remettre, puis vers la droite pour le reprendre.

CONSEIL DE LA LNH

« Développez la force de votre centre musculaire ainsi que celle de vos jambes. C'est là que les Européens détiennent un avantage marqué : le bas de leur corps est tellement puissant. »

KEITH PRIMEAU

Une nouvelle variante du redressement classique : lancer un medicine-ball à partir d'une position d'appui sur un ballon suisse.

Tout le haut du corps de Kellin travaille quand il lance le ballon à un partenaire.

Attraper un ballon sur la planche d'équilibre, un nouveau sport olympique ?

Renforcer son centre musculaire

Planche d'équilibre et medicine-ball

Debout sur une planche d'équilibre, faites et recevez des passes avec le medicine-ball. Pliez bien les genoux pour atteindre un bon équilibre et serrez les coudes près du corps, les mains tendues vers l'avant prêtes à accueillir la passe. Votre partenaire doit être installé à deux mètres et vous lancer le ballon à hauteur de la poitrine. En l'attrapant, tentez de maintenir votre équilibre sur la planche. C'est le haut du corps qui doit se préoccuper du medicine-ball, tandis que vos abdominaux et vos jambes travaillent à maintenir l'équilibre.

L'entraînement hors glace

Pour améliorer votre jeu en puissance et en vitesse, vous avez besoin de force. Et c'est hors de la patinoire que vous allez développer cette force. Il faut vous entraîner durant la morte-saison pour vous améliorer. Durant la saison, les exercices suivants vont vous aider à vous maintenir en forme.

La méthode plyométrique

Jeremy Roenick, Simon Gagné et Ed Jovanoski ont adopté les exercices plyométriques, qui sont en fait différentes techniques de saut. Ces exercices sont bons pour augmenter la rapidité et l'agilité. Même les jeunes joueurs peuvent profiter de cette méthode, mais ils doivent être prudents et bien suivre les instructions car ce sont des mouvements à risque. Il faut toujours tenter d'atterrir doucement et de changer de direction rapidement.

Développer sa force

Tara saute rapidement et en force vers l'avant.

Élevez vos genoux jusqu'à la poitrine pour sauter par-dessus le banc. Pliez les genoux à l'impulsion et à la réception du saut.

Assurez-vous que la boîte est solide. Ne sautez pas plus haut que 45 cm (18 po).

Les sauts

En sautant à grandes enjambées, vous faites travailler les muscles des jambes autant à l'impulsion qu'à la réception. Vous pouvez sauter vers l'avant ou latéralement à partir du sol, d'un banc ou d'un cheval de bois.

- Mettez-vous en équilibre sur la pointe des pieds, les genoux pliés.
- Donnez une poussée en lançant les bras en avant pour vous donner de la hauteur. Ramenez vos genoux sur la poitrine.
- La réception se fait les pieds bien à plat sur le sol.

Bon pour : allonger les enjambées et leur puissance.

Sauts en puissance accroupis

Ces sauts développent la force des jambes.

- Prenez une position accroupie en faisant reposer votre poids sur les talons et en pliant les genoux à fond.
- Sur la pointe des pieds, donnez une poussée en transférant votre poids vers l'avant.
- Dans un mouvement bien uni, atterrissez en douce sur vos pieds tout en pliant les genoux.

Bon pour : l'équilibre en position accroupie.

Élans et course en position accroupie

Ce genre de course développe les quadriceps (muscles du devant des cuisses).

- Position accroupie sur la pointe des pieds et genoux pliés. Mettez vos mains derrière le dos, l'une tenant le poignet de l'autre.
- Courez autour de la pièce en maintenant votre équilibre tout en restant accroupi.

Bon pour : l'équilibre en position accroupie.

CONSEIL DE LA LNH

« Il faut travailler, mais je pense qu'on a le talent ou qu'on ne l'a pas. C'est génétique. Si vous êtes rapide, vous êtes rapide. Sinon, vous pouvez vous améliorer jusqu'à un certain point. »

PAVEL BURE

Sauts latéraux : pliez fortement les genoux et répétez les sauts par-dessus les obstacles.

Le pied avant se déplace en premier en direction du sac d'équilibre tombant. C'est dans cette position que Kellin attrape le sac.

Glissez latéralement entre deux pylônes. Effectuez chaque fois une flexion des genoux pour toucher au pylône. Répétez plusieurs fois.

Développer son agilité

Course latérale

Courir d'un côté sur l'autre imite la technique du patinage au hockey.

- Placez 12 repères sur deux lignes distantes de 3 mètres. Alternez les repères pour que les deux lignes forment un zigzag.
- Courez jusqu'au premier repère. Pour vous rendre en tournant au deuxième, prenez appui sur le pied extérieur. Pliez le genou à fond et donnez une poussée en direction du repère suivant.
- Répétez jusqu'au dernier repère.

Bon pour : de plus longues enjambées et la puissance.

Flexion des genoux : les bras allongés sur les côtés, pieds bien au sol, pliez les genoux et maintenez cette position durant 45 secondes. *Bon pour :* les mollets.

Étirement du mollet : face au mur, un orteil appuyé sur le bas du mur, posez l'autre pied à un mètre derrière, la pointe du pied en avant. Appuyez votre tête et vos coudes relevés contre le mur. Changez de jambe. Maintenez la position 45 secondes. *Bon pour :* l'arrière des cuisses et les mollets.

Poussée avant : posez un genou à terre en tenant la jambe avant devant vous. Étirez votre jambe arrière le plus loin possible. Posez vos mains sur le sol en ligne avec le pied avant pour vous soutenir. Exercez une pression à partir de l'aine. Changez de côté. 45 secondes pour chaque jambe. *Bon pour :* les tendons.

Étirement des quadriceps : assis, pliez une jambe sur le côté. Posez l'autre pied sur le genou de la jambe pliée en utilisant vos bras en

Mollets et tendons

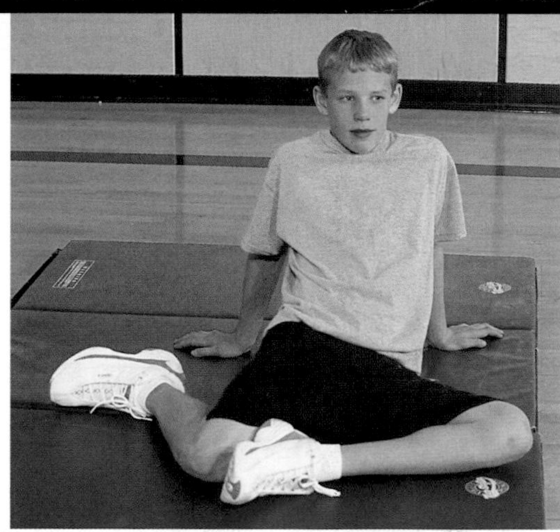

Étirement des quadriceps. Penchez-vous doucement vers l'avant puis vers l'arrière pour étirer vos quadriceps et les muscles du bas du dos.

Flexion des tendons. Tenez la cheville de la jambe étirée et tirez la pointe du pied vers vous pour obtenir une meilleure flexion du mollet.

arrière comme support. Penchez-vous en arrière pour étirer une jambe, puis en avant pour l'autre. Changez de jambe. Maintenez durant 45 secondes pour chaque jambe. *Bon pour :* les quadriceps, les hanches et le bas du dos.

Flexion des tendons : en position assise, allongez une jambe devant vous. Appuyez le pied opposé sur l'intérieur de la cuisse de la jambe allongée. Penchez vers l'avant en tenant le dos bien droit. Changez de côté. Maintenez 45 secondes. *Bon pour :* les tendons, les hanches et le bas du dos.

Étirement des triceps : debout, posez une main derrière la tête pour rejoindre le dessus de l'omoplate du côté opposé. Tenez le coude avec l'autre main. Pressez légèrement sur le coude pour pousser votre main plus bas dans le dos. Changez de bras et comptez 10 secondes pour chaque bras. *Bon pour :* les triceps et les articulations des épaules.

Torsion du bras : debout, placez un bras derrière la tête et repliez l'autre derrière le dos. Commencez en touchant vos doigts ; essayez de saisir vos jointures. Changez de bras. Maintenez la position chaque fois durant 5 secondes. *Bon pour :* les triceps et les articulations de l'épaule.

Flexion des triceps : mettez-vous à genoux, les mains sur le sol. Étirez un bras devant vous. Prenez le coude du bras étiré avec l'autre main. Posez votre tête sur le bras replié. Exercez une pression sur votre coude. Changez de bras. 10 secondes pour chaque bras. *Bon pour :* les triceps (à l'arrière du haut des bras).

Étirement des triceps. Exercez une pression vers l'arrière avec votre tête pour augmenter l'étirement.

Flexion des triceps. Maintenez chaque bras en position durant 10 secondes. Recommandé aussi pour les muscles du bas du dos.

Flexion des hanches. En ouvrant les hanches, vous augmentez l'efficacité du haut de vos jambes pour effectuer un pivot.

Épaules et cou

Extension des avant-bras : mettez-vous sur les genoux et les mains. Tournez les poignets de façon à ce que vos doigts soient en direction de votre corps. Relevez la tête vers l'arrière. Maintenez la position durant 20 secondes. *Bon pour :* l'intérieur des poignets.

Étirement du cou : allongez-vous sur le sol, les jambes étirées en avant et les genoux relevés et pliés. Joignez vos deux mains derrière la tête. Relevez la tête. Tenez 5 secondes. Faites cet exercice par séquences de trois. *Bon pour :* le cou et le haut du dos.

Flexion des hanches : en position assise, allongez une jambe devant vous. Ramenez l'autre jambe vers vous en tenant d'une main la cheville et de l'autre le genou. Tirez votre pied vers votre corps jusqu'à ce que vous ressentiez un léger étirement du muscle. Ne forcez pas. Changez de jambe. Tenez la position 30 secondes. *Bon pour :* les hanches et l'aine.

Flexion de l'aine : assis, écartez vos jambes le plus largement possible. Penchez vers l'avant en maintenant le dos le plus droit possible. Tentez de rapprocher votre poitrine le plus près du sol. Tenez 30 secondes. *Bon pour :* l'aine, les tendons et le bas du dos.

Étirement de l'aine : assis, les jambes en avant et les genoux pliés, collez les plantes des pieds. Penchez-vous vers l'avant en gardant le dos le plus droit possible. Tenez 45 secondes. *Bon pour :* l'aine (en particulier chez les gardiens de but).

Dos et hanches

Flexion de l'aine. Gardez le dos droit quand vous vous penchez vers le sol.

Étirement de l'aine. Plantes des pieds l'une contre l'autre, ramenez vos pieds vers vous.

Torsion du torse. Tentez de toucher au sol avec le genou que vous avez croisé.

Torsion du torse : allongé sur le dos, les genoux repliés vers le haut, posez une jambe par-dessus l'autre à la hauteur du genou. Tenez votre tête avec les mains. En maintenant les épaules au sol, poussez pour rejoindre le sol avec le genou croisé. Changez de côté. 45 secondes par jambe. *Bon pour :* les fessiers et le bas du dos.

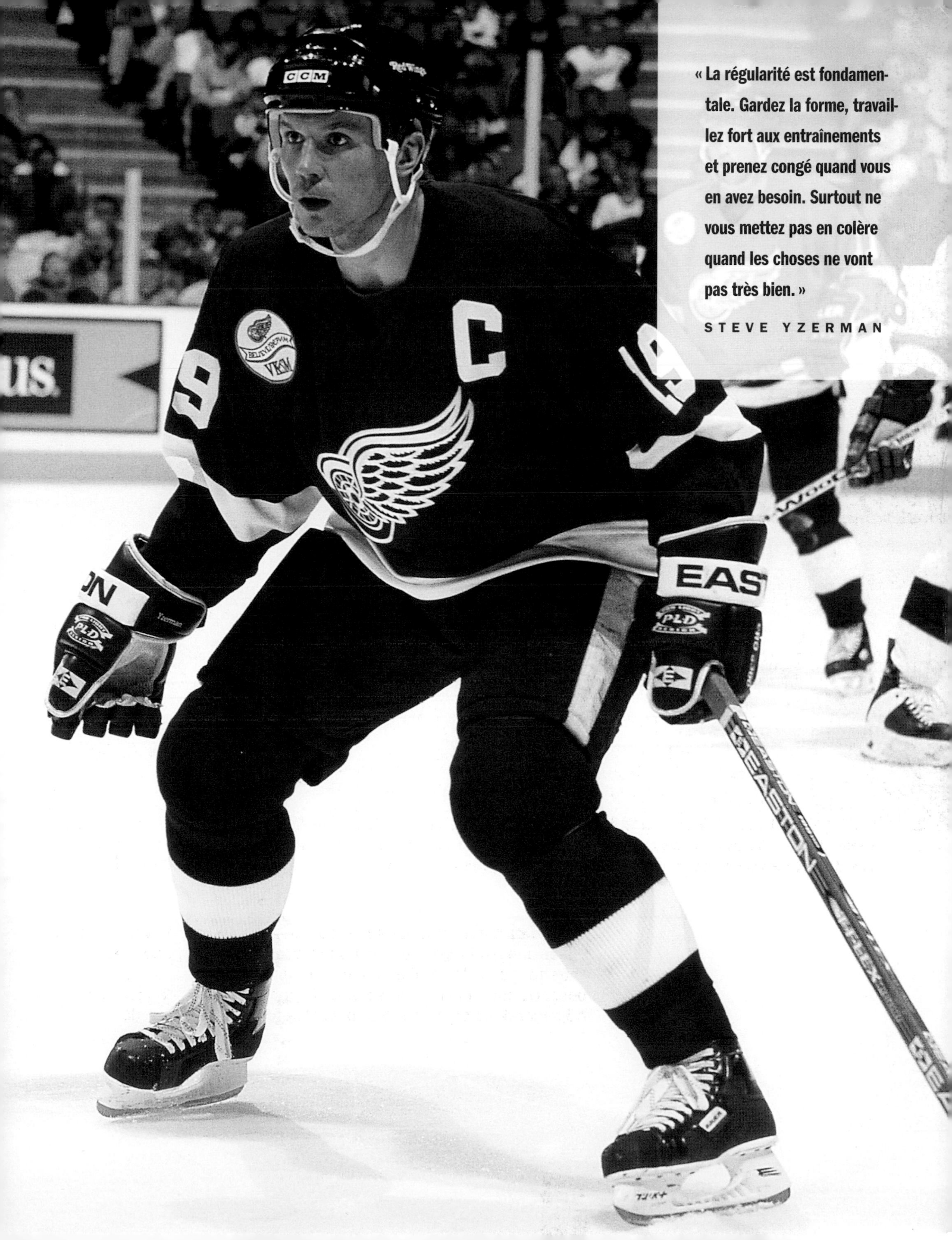

« La régularité est fondamentale. Gardez la forme, travaillez fort aux entraînements et prenez congé quand vous en avez besoin. Surtout ne vous mettez pas en colère quand les choses ne vont pas très bien. »

STEVE YZERMAN

Markus Naslund a mis à profit sa vitesse et la précision de son tir pour finir en deuxième place des compteurs de la LNH en 2002 et 2003.

PATINER

PUISSANCE ET VITESSE

BIEN COMPRENDRE COMMENT fonctionnent vos patins afin que vous les utilisiez plus efficacement constitue le meilleur moyen d'améliorer votre jeu.

Nous allons vous montrer comment les meilleurs patineurs de la LNH mettent à profit leur vitesse, leur accélération et leur agilité pour bonifier leurs autres talents. Nous allons vous enseigner comment accélérer rapidement et changer de direction brusquement. Vous apprendrez comment être plus rapide en ligne droite en profitant d'une pleine extension. Au hockey, un arrêt n'est tout simplement qu'une pause avant de se précipiter dans une autre direction. Vous allez découvrir comment patiner avec puissance, arrêter sur une pièce de monnaie et parvenir à vous échapper en quelques enjambées.

Nous vous donnons les instructions. Vous devez fournir la volonté et la passion pour le jeu si vous voulez profiter de ces conseils.

POUR COMMENCER, vous devez connaître les quatre règles de base très simples qui vous permettront de mieux patiner. Il est facile de les apprendre. Ce qui est compliqué, c'est de les adapter à votre style. Dans les pages qui suivent, nous appliquerons ces règles à chacun des mouvements que vous effectuez le plus souvent sur la glace. Voici les quatre règles :

- **PREMIÈRE RÈGLE :** soyez toujours en forme. Bien patiner demande de la force et de la flexibilité.
- **DEUXIÈME RÈGLE :** adoptez toujours une position basse et équilibrée sur vos patins. Pliez davantage vos genoux et vos chevilles.
- **TROISIÈME RÈGLE :** sachez toujours où sont situés vos patins par rapport à votre corps et utilisez les carres de vos lames de patin. (NdT : carres, traduction de *edges*, désigne les extrémités de la lame de patin)
- **QUATRIÈME RÈGLE :** effectuez une extension complète de la jambe qui pousse à chaque enjambée. Hanche-genou-cheville-orteil. À chaque enjambée.

Appliquez ces quatre règles à chacun des aspects de la technique du patin. C'est ainsi que vous ferez vos plus grands progrès en tant que joueur de hockey.

Quatre règles de base pour mieux patiner

PATINER

agilité et équilibre

UN DES GRANDS AVANTAGES des exercices qui développent la force consiste à améliorer votre agilité et votre équilibre sur patins. Le contrôle est la première étape pour augmenter vitesse et puissance sur patins.

La plupart du temps, l'action au hockey se déroule dans des espaces restreints. Pour être capable d'éviter un joueur quand vous avez la rondelle ou pour mieux le surveiller, vous devez vous montrer agile.

L'équilibre vous permet d'être prêt à vous mouvoir dans n'importe quelle direction, d'absorber des mises en échec, de pivoter ou de revenir dans le flot du jeu. Les joueurs doués d'un bon sens de l'équilibre comme Tony Amonte ou Mats Sundin tiennent leurs patins directement sous le poids de leur corps. Le haut de leur corps est toujours droit mais penché vers l'avant, même quand leurs jambes sont en pleine accélération.

Adopter une position solide

Votre position de base sur patins détermine tout le reste. Si elle est mauvaise, vous ne pourrez patiner mieux. Pour trouver la bonne position, imaginez que vous êtes assis sur une chaise :

- Pliez davantage les genoux. Vu de côté, vos cuisses devraient paraître presque à l'horizontale.
- Le genou avant devrait dépasser de quelques centimètres la pointe du patin.
- Gardez le dos droit et la tête relevée.

Quels sont les avantages d'une position basse ?

Premièrement, vous êtes plus solide sur vos patins. Le poids de votre corps repose sur le patin d'en avant, celui qui glisse. Vous améliorez ainsi votre équilibre.

Une flexion des genoux plus prononcée vous permet d'obtenir plus de puissance à la fois de l'arrière et des côtés. Votre corps

Position de base

Position de départ de Keith : les genoux bien pliés, les épaules de niveau, la tête relevée.

Un peu comme s'il était assis, les genoux bien pliés de Keith les font avancer un peu en avant des orteils.

En mouvement : genoux pliés, poids équilibré, le corps en extension et les bras allongés.

étant plus près de la glace, votre centre de gravité est plus bas. Plus votre position sera basse, plus il sera difficile pour vos adversaires de vous renverser avec une mise en échec.

Une fois votre dos droit et votre tête bien relevée, votre équilibre est parfait. Vous pouvez tout voir et vous diriger dans toutes les directions. Et votre premier coup de patin peut vous mener partout sur la glace.

Essayez cette position maintenant, sans patins, peu importe où vous êtes. Vous allez ressentir une douleur dans les cuisses assez rapidement. Cette douleur vous dit pourquoi vous devez devenir plus fort et dans quelle région vous renforcer.

Poussée en puissance

Une fois que votre corps est bien positionné au-dessus des patins, le secret de l'équilibre est très simple : essayez de toujours maintenir vos pieds sous la masse du corps. C'est ainsi que vous produirez le plus de puissance à chaque coup de patin.

Quand la poussée en puissance est terminée, ramenez le patin arrière à la hauteur de la hanche. À ce moment, vous êtes en équilibre parfait au-dessus du patin avant, celui qui glisse.

Le patin arrière devrait être ramené assez près du patin avant pour en toucher presque le talon. Le genou de la jambe qui glisse doit demeurer bien plié, alors que la jambe qui fournit la poussée doit être en pleine extension. Ramenez ce patin vers l'avant et vous être prêt pour un autre coup de patin en puissance.

Exercez-vous en touchant le talon avec le pied que vous ramenez en avant.

Orteils, genou et tête bien alignés, le genou de la jambe qui glisse doit se trouver entre 2,5 et 5 cm (1-2 po) en avant de la pointe du patin.

Une fois la poussée effectuée, Dylan porte son poids sur la carre intérieure du patin avant.

Après l'extension complète de la jambe de poussée, Keith transfère son poids sur le patin avant.

Position du corps

Aide-mémoire pour la position du corps

- La tête, les hanches et le genou avant forment une ligne droite et sont en équilibre.
- Que vous le regardiez de l'avant, de l'arrière ou de chacun des côtés, le joueur paraît en équilibre.
- Les pieds sont sous le corps et s'écartent des hanches seulement au moment de donner le coup de patin en puissance.

Patinage arrière

Il est plus facile que vous pensez de patiner vers l'arrière. Pour vous rassurer, commencez à vous exercer près de la bande. Vous pourrez vous y accrocher si vous craignez de tomber.

Commencez par pousser une hanche vers l'extérieur et faites un C avec le patin avant. Glissez sur l'autre patin. Continuez à dessiner des C dans la glace, un pied après l'autre. Vous patinez à reculons.

Vous ajouterez de la puissance en poussant fortement sur la carre intérieure de la lame à chaque mouvement.

Avant de commencer à patiner vers l'arrière, il faut vous assurer que vous avez la bonne position. Vos pieds doivent être bien écartés par rapport aux hanches et vos genoux bien pliés alors que vous êtes en position accroupie. Maintenez le dos droit et la tête bien relevée. En vous penchant légèrement vers l'avant, vous obtiendrez un meilleur équilibre.

Patinage arrière

Jordan ouvre sa hanche gauche et commence à tracer un C dans la glace avec son patin gauche.

Une fois le C terminé, il est prêt à transférer son poids sur sa jambe droite.

Au moment où il commence à tracer un C avec son patin droit, il recule, bien en équilibre.

CONSEIL

Pour un meilleur équilibre si vous voulez changer de direction durant la glisse, penchez-vous vers l'avant dans la direction souhaitée.

Petits trucs de patinage

- Tenez-vous le plus bas possible. Poussez le plus fort possible avec votre jambe arrière.
- Vous devriez ressentir l'effort dans les muscles de vos cuisses. C'est de là que provient la puissance.
- Si vous recherchez plus de vitesse, tenez votre bâton d'une seule main, celle qui est en haut.

PATINER

le contrôle

NOUS SAVONS TOUS ce que c'est que de perdre l'équilibre en patins. C'est la première peur que nous avons éprouvée sur une surface glacée.

Le secret du contrôle permanent réside dans la maîtrise des carres des lames de patin. À chaque mouvement sur la glace, vous mettez à profit une carre. C'est ainsi que vous vous rendez où vous voulez quand vous le désirez.

Vous pouvez patiner de côté, stopper, repartir, tourner brusquement, en utilisant seulement les carres. De la même manière, tous ces mouvements peuvent être enchaînés sans arrêt ni pause, toujours en utilisant seulement les carres des lames.

Quand vous patinez en contrôle, vous n'avez pas à réfléchir, vous réagissez par instinct. Vous évoluez avec le jeu comme le jeu évolue. Vous faites moins d'effort et vous produisez plus.

Examiner les carres des lames

Vous découvrirez des carres extérieures et intérieures sur chacune de vos lames de patin. Et comme vous patinez vers l'avant aussi bien que vers l'arrière, vous utilisez au total huit carres différentes. Si vous êtes faible sur l'une d'entre elles, vous risquez de perdre l'équilibre ou de tomber.

L'utilisation des carres

Quand vous transférez votre poids vers l'avant, utilisez la partie avant de la carre. Et c'est sur l'arrière de la carre que vous devez presser quand vous transférez votre poids vers l'arrière. Peu importe la direction choisie, il y aura une des carres intérieures ou extérieures qui sera en contact avec la glace.

La plupart du temps, on ne se sert que d'une seule carre pour arrêter ou changer de direction. Si vous comprenez bien le fonctionnement des carres, une fois en mouvement, un léger changement de côté, vers l'avant ou vers l'arrière vous permettra de changer de direction ou d'accélérer avec peu d'effort, et surtout sans avoir besoin d'arrêter et de repartir.

Le contrôle des carres

Portez attention au fonctionnement des carres intérieures et extérieures quand vous faites vos exercices de patinage.

C'est le bas du corps qui effectue l'essentiel du travail, mais tourner le haut du corps améliore l'efficacité.

Le contrôle des carres est la clé du succès pour les arrêts brusques, les virages et le mouvement latéral.

CONSEIL DE LA LNH

« Beaucoup de jeunes joueurs tournent bien d'un seul côté. Entraînez-vous systématiquement à tourner de l'autre côté. »

VINCENT LECAVALIER

Modifier le poids sur le patin

Souvent, pour effectuer un changement soudain de direction ou pivoter, il suffit d'alléger le poids du corps sur le patin en redressant légèrement le genou replié. En allégeant votre poids sur le patin, vous allez pivoter plus rapidement.

L'utilité du virage serré

Un virage serré est l'équivalent d'un demi-tour sur la glace. S'il est exécuté à la perfection, vous pouvez repartir avec une vitesse plus grande que celle que vous aviez en l'amorçant. C'est un des mouvements préférés des joueurs qui portent la rondelle et qui veulent distancer leur surveillant. Paul Kariya est un grand spécialiste du virage serré.

C'est aussi une bonne manière de réagir quand la rondelle change de porteur. Quand le jeu change de direction, un virage serré vous permet de demeurer dans le jeu. Vous pouvez accélérer dans l'autre direction et vous démarquer, que vous ayez la rondelle ou que vous attendiez une passe.

CONSEIL

Le virage serré n'est pas exactement un demi-tour. Bien exécuté, il dessine un point d'interrogation sur la glace... et sur le visage du joueur qui vous poursuit.

La technique

Patinez rapidement en direction de l'endroit où vous voulez effectuer votre virage. Amorcez le virage avec votre patin et votre hanche avant et tournez le haut du corps dans le sens du virage. Pliez bien les genoux et transférez votre poids sur la partie avant des carres en début de mouvement. Pointez votre bâton dans la direction choisie. Tournez les poignets pour faciliter le mouvement du haut du corps. Vos deux pieds pointent maintenant vers l'avant. Placez votre patin intérieur légèrement devant le patin extérieur. Le centre de gravité doit se trouver entre les deux patins.

Transférez du poids sur la carre extérieure arrière du patin intérieur pour terminer le virage. Pour accélérer, poussez sur l'arrière de la carre intérieure du patin extérieur. Ramenez votre jambe extérieure en la croisant pour compléter le virage.

Quand Tara veut tourner vers la gauche, elle commence par bien plier les genoux.

Elle pointe son bâton vers la gauche, ce qui l'aide à tourner le haut du corps...

...et lui permet de sortir du virage avec plus de puissance. Remarquez à quel point ses genoux sont fléchis.

Virages serrés

Accélérer en croisant les jambes

Après la poussée vers l'avant, la plus importante technique de patinage est le croisement avant des jambes. Vous savez probablement comment exécuter ce mouvement mais voici quelques conseils pour l'améliorer et le rendre plus rapide.

Quand vous vous déplacez d'un côté ou l'autre, un bon croisement vous donnera plus de vitesse.

La différence, c'est plus de puissance à partir d'une position plus basse et une double poussée produite par l'extension complète des deux jambes. Vous poussez deux fois plutôt qu'une.

La technique

Tout en patinant vers l'avant, pliez les genoux à fond. Mettez du poids sur le devant de la carre extérieure de votre patin intérieur, puis sur le devant de la carre intérieure du patin extérieur après avoir effectué le croisement de jambes. Tenez votre bâton devant vous avec les deux mains de façon à ce que la palette soit près de la glace ou sur la glace.

Croisement

Exercez une forte poussée avec votre pied intérieur pendant que vous croisez avec votre pied extérieur.

Quand le croisement est complété, Luke est prêt à exercer une poussée sur la carre intérieure.

En exerçant une poussée sur l'avant de la carre extérieure du patin qui croise, vous augmentez vitesse et puissance.

CONSEIL

Penchez dans le sens du virage quand vous effectuez un croisement. Tenez vos deux mains à proximité sur votre bâton et gardez la palette du hockey sur la glace.

Poussez alors fortement de côté sur la carre avant extérieure de votre patin intérieur pendant que vous transférez votre poids et que vous croisez votre patin extérieur au-dessus du patin intérieur. Le patin qui croise doit demeurer près de la glace.

Utilisez le devant de la care interne de ce patin pour bien mordre dans la glace pendant que vous transférez votre poids sur ce pied. Poussez bien de côté pendant que vous étirez complètement la jambe qui croise.

Quand la jambe est en complète extension, faites un pas à l'intérieur avec votre pied intérieur.

Quand effectuer un croisement arrière

Ce mouvement est beaucoup plus simple que le précédent. Il paraît difficile seulement lorsque vous n'êtes pas à l'aise quand vous patinez vers l'arrière.

Le défenseur peut utiliser le croisement arrière pour augmenter sa vitesse et mieux mettre en échec le porteur de la rondelle, habituellement en zone défensive. De plus, quand vous patinez à reculons de cette manière, vous évaluez mieux la distance entre vous et le porteur de la rondelle. Cette technique permet aussi de bouger latéralement plus rapidement. Mais même si vous n'êtes pas un défenseur, n'oubliez jamais que lorsque votre équipe n'est pas en possession de la rondelle, tous les joueurs doivent être des défenseurs.

La technique

Patinez en arrière en faisant en sorte que votre patin extérieur quitte la glace le moins souvent possible. De ce pied, tracez des U sur la glace. Cela augmente la puissance. Votre poids doit reposer sur le pied extérieur.

La jambe qui croise en arrière doit être en pleine extension pour augmenter la puissance de vos enjambées.

Tara a les jambes largement écartées pendant qu'elle se sert du devant de la carre intérieure du patin intérieur.

Elle termine son mouvement en pleine extension de la jambe qui croise en arrière.

Croisement arrière

Au début du mouvement, faites un pas loin vers l'extérieur avec votre jambe intérieure. Allez le plus loin possible. Utilisez l'avant de la carre intérieure de votre patin intérieur pour pousser et ramenez ce patin derrière votre corps. Changez de carre. Appuyez-vous sur le devant de la carre extérieure du même patin et poussez avec force en allongeant pleinement la jambe. Répétez le même mouvement vers l'intérieur avec le patin intérieur.

La plupart des joueurs sont plus habiles d'un côté. Entraînez-vous à être habile dans les deux sens.

Pourquoi pivoter ?

Durant un match, la rondelle change de possession des centaines de fois. À chacune de vos présences sur la glace, vous passez de la défensive à l'offensive, puis encore à la défensive. Certains athlètes ne sont qu'offensifs ou défensifs. Mais les joueurs de hockey doivent exceller dans les deux aspects du jeu, et pour passer d'un mode à l'autre, il faut savoir changer de direction, patiner vers l'arrière, puis soudainement accélérer vers l'avant. Tout cela en une fraction de seconde.

Pivot avant-arrière

C'est le pivot qui permet cette transition brusque. Utilisez-le quand votre équipe perd possession de la rondelle et que vous vous retrouvez derrière le jeu. Patinez rapidement vers votre zone, puis pivotez pour patiner à reculons en vous postant entre le but et le joueur que vous marquez.

Le pivot

Patinez rapidement, laissez-vous glisser et tournez en utilisant l'avant de la carre intérieure du patin avant.

Luke a transféré son poids sur le patin opposé.

Maintenant il patine à reculons, le poids en équilibre, en traçant des C sur la glace avec son patin gauche.

La technique

Commencez par patiner rapidement, puis accentuez le fléchissement des genoux et glissez sur un seul patin. Transférez votre poids sur le patin qui glisse et commencez à ouvrir votre hanche du côté où vous voulez tourner. Faites la même chose avec votre genou et le patin. Tournez la tête et l'épaule dans le même sens. Les talons rapprochés et les pieds pointant vers l'extérieur, effectuez un virage sur l'avant de la carre du patin qui glisse. Transférez votre poids du patin qui glisse sur celui qui pointe maintenant vers l'arrière.

PATINER

la rapidité

PASSER, SURVEILLER UN JOUEUR, SE DISPUTER la rondelle, tout cela se déroule normalement dans un espace restreint sur la glace. Gagner ces petites batailles est plus important que d'atteindre une grande vitesse. Ce qui est important, c'est le premier mouvement, le premier pas. Se diriger dans la bonne direction à partir de ce premier coup de patin constitue la clé.

Comment marque-t-on des buts ? Rares sont ceux qui résultent d'une échappée. Généralement, c'est une série d'erreurs défensives qui entraîne un but. La plupart des buts proviennent de revirements.

Pour profiter de ces erreurs, vous devez bien lire le jeu, anticiper son déroulement et réagir à un changement soudain de possession de la rondelle. Si vous êtes près d'une rondelle libre, vous devez réagir rapidement pour en prendre le contrôle. Si vous êtes éloigné de la rondelle, dirigez-vous vers la zone libre la plus proche. Souvenez-vous : votre accélération initiale détermine tout.

Quand stopper

Très souvent quand se produit un changement de possession de la rondelle, la première chose à faire consiste à stopper brusquement, sur un « 10 cents » comme on dit. L'arrêt peut être la façon la plus rapide de changer de direction car il n'est pas nécessaire de s'immobiliser complètement. Vous pouvez freiner d'un patin, croiser une jambe et vous diriger dans une nouvelle direction plus rapidement qu'en effectuant un virage rapide.

Un arrêt soudain est aussi un bon moyen de vous débarrasser de votre surveillant et de protéger la rondelle. Traversez la ligne bleue de la zone adverse à pleine vitesse, et si vous ne pouvez vous dirigez vers le filet, stoppez brusquement. Assurez-vous que votre surveillant, lui, continue à patiner. Cherchez un coéquipier à qui passer au centre de la zone. Si vos coéquipiers sont tous marqués et qu'aucune passe n'est possible, lancez la rondelle profondément dans la zone le long de la bande.

Arrêts et départs

Tenant son bâton avec les deux mains pour assurer son équilibre, Keith freine en utilisant la carre extérieure de son patin intérieur.

Il regarde dans quelle direction il veut aller et effectue un croisement avec l'autre patin.

Il repart avec des enjambées courtes et rapides en s'appuyant sur les carres intérieures.

CONSEIL

Patinez toujours à plein régime vers une rondelle libre, même si vous n'êtes pas surveillé. Plus rapidement vous prendrez possession de la rondelle, plus de temps vous aurez pour effectuer le bon jeu quand vous en aurez pris possession.

Arrêt sur un seul pied et demi-tour

Tenez bien votre bâton à deux mains pour assurer un meilleur équilibre. Tournez, portez votre corps vers l'arrière, pliez bien les genoux et effectuez une poussée avec le devant de la carre intérieure de votre patin intérieur, soit le patin arrière.

Regardez dans la direction d'où vous venez. Votre patin avant ne touchera pas la glace au moment du freinage. Effectuez un croisement avec celui-ci et poussez fortement avec ce patin. La main la plus basse doit à ce moment lâcher le bâton.

Donnez des coups de patin rapides et courts en utilisant la carre avant intérieure du patin qui a effectué le croisement et en tendant vos bras vers l'avant pour augmenter la puissance de vos enjambées.

Stopper à l'aide du bâton

Il s'agit ici de stopper avec les deux pieds. Utilisez ce type de freinage quand vous n'avez pas d'autre choix pour stopper.

Pour y parvenir, il est préférable que vous posiez la palette de votre bâton sur la glace. Vous obtenez ainsi un troisième point d'appui. La plupart des joueurs sont plus efficaces d'un côté en particulier dans l'exécution de ce mouvement. La manœuvre vous semblera plus facile si vous l'effectuez du côté dont vous tirez. Travaillez autant le côté droit que le gauche.

La technique

Au moment où vous tournez latéralement pour freiner, le talon d'un patin devrait être au niveau de la pointe de l'autre. Le patin arrière devrait être légèrement en avant. Tenez votre bâton à deux mains et maintenez la palette près de la glace quand vous stoppez.

CONSEIL

Ne craignez pas de tomber quand vous vous exercez aux arrêts et départs. La glace est glissante. Tout le monde tombe. L'astuce consiste à se relever rapidement.

Tourné de côté, Jaysen commence à freiner les genoux presque droits.

Les carres des lames pénètrent la glace et Jaysen plie les genoux pour mieux stopper.

Il voit la rondelle venir vers lui car son arrêt brusque lui a permis de se dégager.

Stopper à l'aide du bâton

Relâchez la flexion des genoux en arrêtant, ce qui permet d'enlever du poids sur les patins.

Plantez maintenant dans la glace l'avant de la carre intérieure de votre patin avant et l'avant de la carre extérieure du patin arrière. Pliez les genoux comme des amortisseurs afin d'accroître la force et la rapidité de votre arrêt.

Arrêter ne suffit pas. Arrêtez, analysez le jeu et réagissez.

Si vous stoppez pour vous dégager d'un surveillant et que vous y parvenez, maintenez votre palette sur la glace en attendant la passe.

Allez-y

Il ne sert à rien de freiner juste pour demeurer sur place et regarder le jeu se développer. Il faut rentrer dans le jeu immédiatement.

Essayez toujours de convertir votre énergie en possibilité de virage pour pouvoir vous diriger aussitôt dans une autre direction. Si vous n'y parvenez pas, vous devrez revenir dans le jeu à partir d'une position immobile.

Virage en V

Utilisez le virage en V pour accélérer brusquement à partir d'une position immobile.

La technique

Équilibrez votre poids sur l'avant des carres intérieures de vos patins en tenant les talons rapprochés et la pointe des pieds écartée vers l'extérieur. Vos genoux doivent être à peu près en ligne avec vos épaules, ils sont bien pliés et tournés vers l'extérieur.

Départ explosif

Ses patins formant un V, Derek tient son bâton d'une main et pousse avec l'avant des carres intérieures.

Après cinq pas rapides et rapprochés, il allonge ses enjambées.

Rendu à la ligne bleue, il a repris une vitesse normale.

CONSEIL

Il ne faut pas se précipiter constamment un peu partout. Conservez un peu d'énergie de telle sorte que vous pourrez atteindre une vitesse supérieure quand l'ouverture se présentera.

Il faut exploser littéralement de cette position en V en faisant quelques pas brusques et rapides qui s'appuient toujours sur l'avant intérieur des carres.

La poitrine penchée vers l'avant, la tête haute, vous tenez votre bâton d'une seule main (celle du haut) et vous balancez vos deux bras d'avant en arrière pour accélérer en ligne droite.

Après ces quelques enjambées courtes, augmentez l'amplitude et effectuez enfin une extension complète de la jambe qui pousse pour accroître la vitesse.

Départ en croisé

Ce mouvement vous permet d'avancer de côté. Utilisez-le après un arrêt avec les deux patins, en exécutant un pas en croisé qui entraînera un départ en V.

Vous pouvez effectuer ce mouvement que vous patiniez vers l'avant ou l'arrière. Ce sont généralement les défenseurs qui veulent s'interposer devant un attaquant qui recourent à cette technique.

Mais c'est aussi un super truc quand vous voulez contournez un défenseur au moment où vous êtes en possession de la rondelle. Joe Sakic file comme un train quand il se dirige vers un défenseur, mais tout à coup il bifurque avec la même vitesse vers le côté et se donne un angle pour tirer au but.

La technique

D'une position immobile, tournez la tête et les épaules dans la direction choisie. Gardez la tête haute et les épaules à égalité. Pointer le bâton dans cette direction facilite aussi la manœuvre.

CONSEIL

Une fois que vous avez maîtrisé le départ en croisé, apprenez à l'effectuer sans regarder dans la direction que vous avez choisie. Cela peut devenir une arme secrète pour le porteur de la rondelle.

Dans la position initiale, vous êtes en équilibre sur la carre externe de votre patin intérieur.

En tournant le haut du corps, Brad transfère son poids sur sa jambe intérieure.

Sa jambe extérieure effectue un croisement. Il utilise la carre avant du patin gauche pour prendre de la vitesse.

Départ en croisé

Croisez votre jambe extérieure en tenant le genou bas pour un meilleur équilibre. L'idée, c'est de libérer le patin immobile.

Après avoir fait le croisement, tournez sur le côté que vous avez choisi avec les patins dans le même sens. Effectuez une poussée avec l'avant de la carre intérieure et ramenez la jambe à l'intérieur. Après le premier pas en croisé, mettez votre corps en position pour le démarrage en V à l'aide de deux ou trois enjambées rapides. Gardez la tête droite tout en la faisant pivoter. Ce genre de mouvement latéral soudain peut vous ramener dans le flot du jeu.

LA PUISSANCE, c'est de l'énergie en mouvement. Le hockey se fonde sur la vitesse car patiner est un des moyens les plus rapides dont l'homme dispose pour se mouvoir.

Quand vous patinez, vous trouvez votre puissance dans la jambe d'impulsion, qui procure à la fois équilibre et vitesse. Vous avez besoin de puissance pour combattre le long des bandes ou conserver votre position devant le filet. Vos jambes doivent être constamment en mouvement quand les adversaires tentent de vous retenir de leurs corps et de leurs bâtons.

Il faut de la force. Vous devez être fort pour maintenir votre position devant le but et tirer le plus de vitesse possible de vos enjambées. Mais les efforts en valent la peine. Quand on réussit à allier la force avec une bonne technique de patinage, on obtient plus de vitesse. Et c'est dans ce sport que le besoin de rapidité est le plus grand.

PATINER

la puissance

Équilibre et puissance

La puissance n'est pas évidente. C'est un peu comme un ressort qui produit de l'énergie en se détendant. Si vous parvenez à contrôler l'énergie que vous produisez ainsi que sa direction, vous deviendrez un patineur formidable et puissant.

Une des raisons qui font de Mario Lemieux et Teemu Selanne de si extraordinaires patineurs, c'est que le haut de leur corps est presque immobile même quand ils patinent à pleine vitesse. En parfait équilibre sur vos patins, vous pouvez concentrer toute votre énergie dans une seule direction, c'est-à-dire vers l'avant, sans craindre de perdre de la vitesse parce que votre corps oscille d'un côté et de l'autre.

Le secret est simple. Le poids de votre corps doit être bien réparti sur vos patins. Votre centre de gravité doit se situer au-dessus du patin qui glisse après que vous avez effectué une poussée en puissance. Ce transfert de poids prépare cette jambe pour la seconde impulsion en puissance et fait en sorte que le poids du corps se trouve derrière cette impulsion. Après chaque enjambée, baissez-vous le plus près possible de la glace, ce qui permettra à votre autre jambe de fournir une poussée plus rapide.

C O N S E I L

En maintenant la tête immobile même quand vous patinez rapidement, votre vision du jeu est meilleure. Votre tête pivote plus facilement quand elle ne bouge pas latéralement.

Quand Lance se prépare pour une deuxième impulsion en puissance, ses deux pieds sont derrière le centre de son corps.

Lance redémarre maintenant en position basse. Sa tête est en droite ligne avec le patin qui glisse.

Même pendant une extension complète, le haut du corps et la tête de Kellin sont en équilibre parfait.

Aide-mémoire pour patiner en puissance

- Tenez la tête haute, les yeux droit devant et le haut du corps immobile.
- Allongez les bras en avant pour vous aider à avancer.
- Conservez le poids de votre corps sur vos patins pour garder un meilleur équilibre.

Hanche-genou-cheville-orteil

Certains des joueurs les plus rapides dans la LNH, comme Scott Niedermayer, semblent glisser sur la glace sans fournir aucun effort. À partir d'une position bien équilibrée, le secret d'une plus grande vitesse réside dans la poussée en puissance. Chacune des grosses articulations – hanche, genou, cheville et orteils – contribue à augmenter votre puissance.

La technique

Vous devez effectuer votre poussée d'abord vers l'extérieur puis vers l'arrière. À l'extérieur pour profiter le plus possible du devant de votre carre intérieure. Puis en arrière pour propulser en avant le patin qui glisse.

Voyez comment ça se déroule. Le mouvement prend naissance dans la hanche, qui dirige les gros muscles de la jambe vers l'extérieur et vers l'arrière. Vous contractez alors le genou, puis allongez le pied à partir de la cheville. Un petit mouvement de la pointe du pied complète la manœuvre.

Pour bien réussir ce mouvement, il faut du temps. Ça semble si facile quand on connaît la technique. Le coup de patin en puissance est plus lent, vos jambes travaillent moins mais vous patinez plus rapidement.

Écoutez le crissement de vos patins sur la glace quand vous êtes en pleine extension de la jambe. Le son est particulier. À la fin de la poussée, les patins font entendre un grincement sec. C'est le résultat du petit mouvement de la pointe des pieds qui mord dans la glace.

C'est le meilleur moyen de profiter de votre force. Il est absolument nécessaire de convertir toute votre force en vitesse.

En pleine extension

Les deux pieds de Luke sont sous son corps. Le patin d'impulsion est prêt à tourner.

Le petit coup de la pointe du pied ajoute une dernière poussée de puissance. La tête, le genou et le pied forment une ligne droite.

Vu de face, on voit que le poids du corps de Luke s'est transféré légèrement du côté de la jambe qui pousse.

CONSEIL DE LA LNH

« Quand vous avez atteint votre vitesse maximale, effectuez les enjambées les plus longues possible. Laissez votre corps se détendre. De belles, lentes et longues enjambées. »

TONY AMONTE

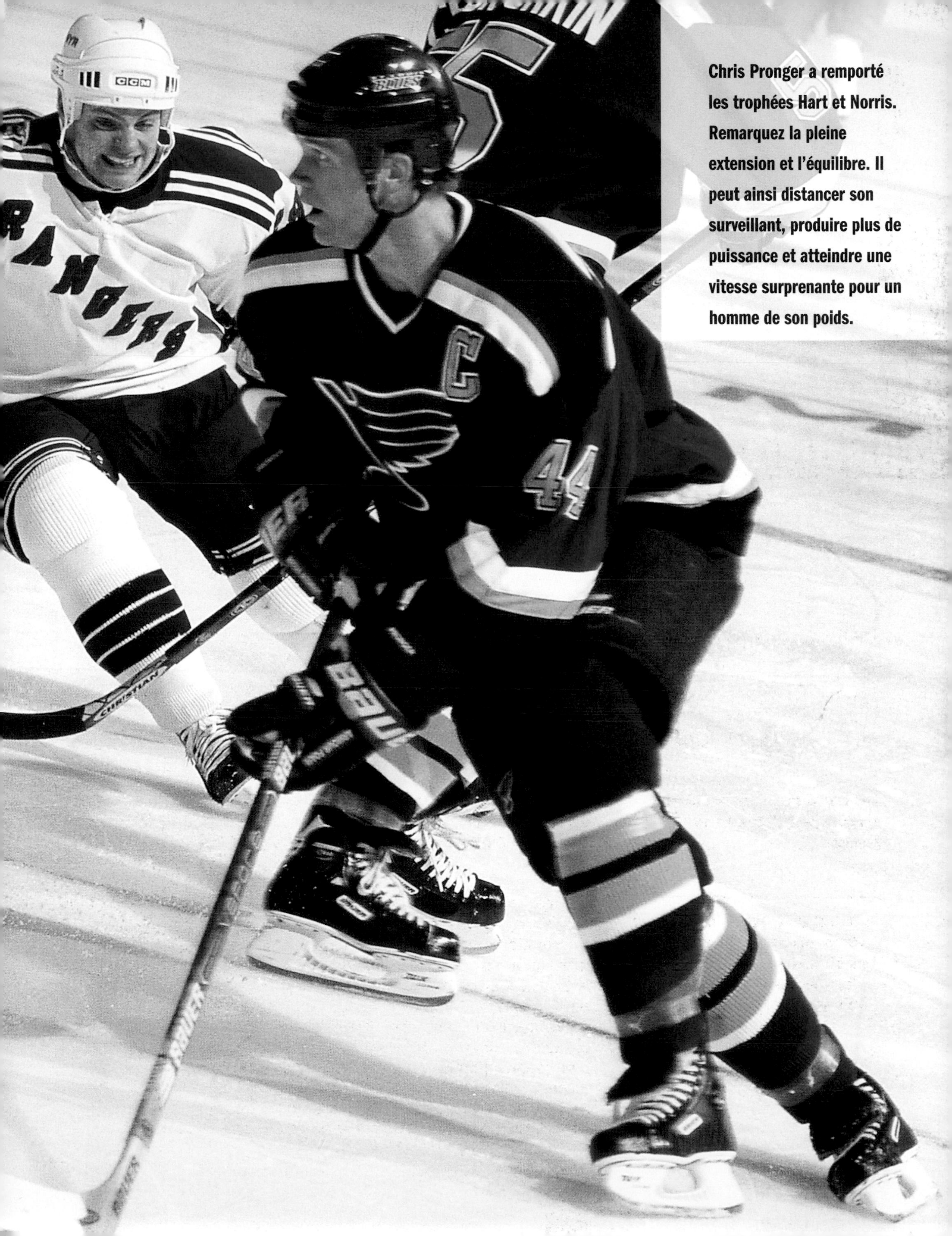

Chris Pronger a remporté les trophées Hart et Norris. Remarquez la pleine extension et l'équilibre. Il peut ainsi distancer son surveillant, produire plus de puissance et atteindre une vitesse surprenante pour un homme de son poids.

« Trouver l'ouverture qui vous permet de tirer est une aptitude mentale. Il faut être capable de lire le jeu. Pour que de telles ouvertures se présentent, vous devez être rapide. »

ZIGGY PALFFY

LES SECRETS DU MARQUEUR

ON NE PARLE pas assez des meilleurs marqueurs. Vous blaguez ou quoi ? On n'entend parler que de ceux qui marquent des buts. C'est vrai, mais on ne les estime pas à leur juste valeur ; trop de gens pensent que les buteurs sont nés avec un talent naturel ou encore que c'est la seule chose qu'ils peuvent accomplir. Pourtant, il y a un secret. Les grands marqueurs connaissent le jeu comme le fond de leur poche.

Vous n'avez qu'à bien observer. Les marqueurs ne suivent pas la rondelle, c'est la rondelle qui les trouve. Un buteur voit mieux, sait plus de choses et est plus conscient du jeu. Ses mouvements sont automatiques. Il est constamment attentif au jeu, tente différentes tactiques, expérimente des bâtons différents, imagine de nouvelles stratégies et, durant les périodes d'échauffement avant le match, observe attentivement le gardien de but adverse.

Si vous voulez devenir un marqueur de buts, étudiez bien le hockey.

« Il y a des soirs où vous n'êtes pas en forme. Il faut oublier ça et vous dévouer pour vos coéquipiers. Vous devez vous sacrifier chaque soir. »

MARK RECCHI

Pourquoi tant de joueurs prennent-ils un énorme élan, déclenchent-ils un tir foudroyant et ratent-ils le but ? Bonne question. Peut-être aiment-ils le son de la rondelle quand elle frappe la baie vitrée ! Ou c'est peut-être que seuls les vrais marqueurs de buts arrivent à suivre toujours les six règles de base.

1. Soyez prêt

Si vous êtes près du filet, placez toujours la rondelle en position de tir. Comme votre première option est toujours de tirer, soyez prêt à le faire de la bonne position. Vous pourrez alors tirer peu importe le pied sur lequel vous vous appuyez.

CONSEIL DE LA LNH
« Ma méthode la plus efficace pour marquer consiste à utiliser à ma vitesse et mon sens de l'anticipation pour me démarquer et tirer au but aussi vite que possible. »
PAUL KARIYA

2. Tirez rapidement

Un tir décoché rapidement est plus efficace qu'un tir puissant. Ce n'est pas le tir le plus rapide qui atteint sa cible si le gardien est prêt à l'arrêter. Un tir effectué sans avertissement surprend le gardien, comme le dit Jason Arnott : « Il faut tirer le plus vite possible parce

Vous devez toujours être prêt à tirer quand vous êtes aux alentours du filet.

Ne prenez pas le temps de réfléchir à votre tir. Tirez rapidement.

Tirez vers le filet. On ne sait jamais, la rondelle pourrait entrer.

Les secrets du marqueur

que les gardiens sont très efficaces dans la LNH. Le tir immédiat est souvent le plus efficace. »

3. Tirez vers le but

Pourquoi tirer ailleurs que vers le but ? La réponse est simple. Beaucoup de joueurs veulent marquer en effectuant le lancer parfait juste sous la barre transversale ou dans la lucarne, le plus près possible d'un poteau. Mais on ne donne pas de points pour la beauté du style. Simplifiez-vous la tâche. Tirez en direction du filet.

4. Tirez bas

Tirez bas à moins que vous ne soyez très près du gardien et qu'il soit accroupi. La main du gardien est plus rapide que ses pieds. Les tirs bas produisent plus de retours. Patrick Roy sait très bien que la majorité des buts marqués contre lui l'ont été au ras de la glace. C'est pourquoi la plupart des gardiens ont adopté la technique papillon. Mais un gardien qui a recours à ce style doit se jeter sur la glace puis se relever. Chaque fois que le gardien est en mouvement, vers le haut ou le bas, ou de côté, tirez bas.

5. Analysez les faiblesses du gardien

Cherchez l'ouverture et lancez là où vous apercevez le fond du filet. Cherchez l'ouverture entre les jambes et celle dans le bas du côté du bâton du gardien. Si vous observez bien, ce sont les gardiens eux-mêmes qui vous diront comment les déjouer. Le gardien soulève-t-il son bâton quand il se déplace latéralement ? Tient-il sa mitaine

Tirez bas. Ici Brandon bouge latéralement et crée une ouverture entre ses jambes. Jordan en profite pour effectuer un croisement et marquer du côté du bâton du gardien.

Pensez arrêt et attendez le rebond de la rondelle. Ramenez la rondelle vers vous et tirez vers le haut du filet.

en haut ou en bas ? Comment réagit-il quand il vient de se faire déjouer ? C'est ainsi que le gardien vous apprend à le déjouer.

6. Attendez les retours de tir

Tenez-vous près du filet, le bâton sur la glace, quand un de vos coéquipiers tire au but. Vous savez très bien que les tirs de votre équipe ne déjoueront pas tous le gardien. Placez-vous à l'endroit où la rondelle pourrait revenir après l'arrêt du gardien. Si votre coéquipier marque, vous n'avez rien perdu. Sinon, faites en sorte que le deuxième tir ou le troisième se transforme en but.

MARQUER LE MANIEMENT *de la rondelle*

APPRENDRE NE VOUS REND pas intelligent, mais vous instruit. Développer vos aptitudes techniques au hockey ne vous transformera pas nécessairement en vedette, mais fera de vous un meilleur joueur. Vous découvrirez qu'on peut apprendre autant avec son corps qu'avec son esprit.

Vous faites beaucoup de choses sans y penser. Épeler des mots connus ou résoudre mentalement des calculs simples, par exemple. Au hockey, c'est la même chose. Les techniques qui semblent bizarres au début deviennent simples et faciles à exécuter quand vous les avez répétées assez souvent.

Dans ce chapitre, vous découvrirez comment mieux manier la rondelle. Quand vous cesserez de penser au maniement du bâton et aux feintes, vous pourrez vous concentrer sur autre chose, par exemple que faire quand vous êtes seul devant le gardien.

Si vous êtes incapable de capter une passe, de transporter la rondelle et de la protéger, vous ne pourrez jouer au hockey. Heureusement, on ne vient pas au monde en sachant bien manier la rondelle. C'est un talent qui s'apprend. Vous pouvez devenir un magicien de la rondelle. Vous n'avez qu'à répéter les exercices et à suivre les conseils ci-dessous.

Un bâton adéquat

Un des meilleurs moyens de mieux contrôler la rondelle consiste à raccourcir son bâton. Celui-ci constitue votre principal outil de contrôle de la rondelle. Pour pouvoir effectuer un virage serré du côté opposé à celui d'où vous tirez habituellement, vous devez être capable de croiser la main la plus haute sur votre bâton vers votre corps en maintenant la palette à plat sur la glace. Votre bâton est-il assez court pour effectuer cette manœuvre ?

Maniement de la rondelle

Tyler montre la position idéale pour transporter la rondelle : les genoux bien fléchis, les mains relaxes et la tête haute.

Les gants enlevés, on note que ce sont les doigts qui tiennent le bâton et non pas les paumes de la main.

Vous aurez un meilleur contrôle en gardant la rondelle à l'arrière de la palette.

C O N S E I L

Exercez-vous à manier la rondelle sans gants pour mieux observer le travail de vos poignets.

De bonnes mains

Un bon manieur de rondelle tient son bâton les mains rapprochées : entre 20 et 30 centimètres (8-12 po) séparent les mains en haut du bâton.

Tournez les poignets pour obtenir un meilleur contrôle. Ce sera plus facile si vous tenez vos coudes loin de votre corps. Ne serrez pas fortement le bâton. Ayez une prise souple qui utilise surtout les doigts.

Portez toujours la rondelle sur la moitié arrière de la palette. Vos mouvements des poignets seront plus efficaces et c'est ainsi que vous sentirez le mieux la rondelle.

Répétez souvent les exercices décrits dans ces pages et vous deviendrez un artiste du maniement de la rondelle, un magicien rusé. Ces exercices ont été mis au point par Dave King, qui a été entraîneur de l'équipe nationale du Canada ainsi que d'équipes de la LNH.

Entraînement individuel

- Posez un pied de chaque côté d'une ligne. Concentrez-vous sur le travail des poignets et effectuez de courtes enjambées rapides. Transférez la rondelle latéralement. Effectuez des balayages courts, puis plus espacés. Répétez en tenant le bâton avec la seule main supérieure, puis avec la main inférieure. Ensuite, poussez la rondelle de chaque côté mais en soulevant la palette de la glace d'environ 30 centimètres (12 po) entre chaque balayage. Effectuez des balayages courts et larges en maintenant toujours la palette surélevée. Cet exercice vous aidera quand vous devrez contrôler la rondelle au milieu des bâtons d'adversaires à proximité.

C O N S E I L

Exercez-vous au maniement de la rondelle avec l'arrière de la palette, avec un bâton sans palette ou avec le gros bout de la palette.

D'un côté à l'autre de la ligne. Mouvements rapides.

Jesse tourne les poignets et pointe ses coudes vers l'extérieur en traçant des 8 sur la glace.

Transférerez votre poids d'un pied sur l'autre, les mains écartées de 30 centimètres (12 po), la rondelle bien fixée sur la partie arrière de la palette.

Exercices pour le maniement de la rondelle

- Il est aussi important de développer votre jeu de pieds. Déposez vos gants sur la glace et écartez-les de 90 centimètres (3 pi). Avec la rondelle, tracez des 8 autour de vos gants, dans les deux sens. Bougez les pieds si vous le devez, mais restez bien perpendiculaire aux gants. Après quelques séances, commencez à bouger la tête : vers le haut, vers le bas, de côté. Utilisez l'arrière de la palette.
- Maintenant, écartez vos gants de 1,8 mètre (6 pi). Bougez les pieds de façon à aller d'un côté sur l'autre en traçant un 8 avec la rondelle. Utilisez une poussée en T pour bouger latéralement. N'oubliez jamais de faire passer la main supérieure devant votre corps.

Déjouer plusieurs joueurs de l'équipe adverse constitue un des grands plaisirs du hockey. Cela nécessite un bon contrôle de la rondelle aussi bien avec le bâton qu'avec les patins, et un talent qui s'appelle l'art de la feinte.

C'est l'habileté avec laquelle vous maniez le bâton qui permet le contrôle et le transport de la rondelle. Dès que vous prenez possession de la rondelle, un adversaire se précipite vers vous. Pour le déjouer, vous devrez feinter.

Il existe plusieurs types de feinte. Vous pouvez passer du coup droit à votre revers ou l'inverse. Presque toutes les manières de déjouer un adversaire comportent une forme de feinte qui aura d'autant plus de succès que vous patinerez à pleine vitesse. Le seul fait d'accélérer soudainement constitue en soi une feinte.

Une feinte, c'est une sorte de piège. On fait semblant d'aller vers la droite et on se précipite vers la gauche. Pour attirer quelqu'un dans un piège, on utilise un appât. Au hockey, l'appât, c'est la rondelle.

Feinter

Le porteur de la rondelle feint de se diriger vers la bande et pousse la rondelle entre les patins et le bâton de l'adversaire...

...puis il accélère en débordant et récupère la rondelle.

Vous la présentez à votre adversaire quand celui-ci se précipite sur vous, vous la ramenez vers vous et vous le débordez en vitesse. L'idée, c'est bien sûr d'être rusé. Dave King considère que l'art de la feinte est l'aspect le plus créatif du hockey.

Une des manières les plus répandues de déjouer un adversaire consiste à glisser la rondelle dans le triangle que forme son bâton, son patin et, bien sûr, la glace. Quand la rondelle est passée dans le triangle, vous dépassez votre opposant et récupérez la rondelle. Une feinte de la tête dans la direction opposée à celle que vous avez choisie rendra cette manœuvre encore plus efficace. Les exercices dans cette section servent surtout à ce type de feinte.

MARQUER

faire des passes

C'EST LA PASSE qui fait du hockey un sport d'équipe. Si vous jouez en équipe contre six joueurs portant le même chandail mais qui jouent chacun pour soi, vous l'emporterez certainement. Pourquoi ? Parce qu'une bonne passe déjoue plus d'un joueur. Deux ou trois passes bien exécutées et vous êtes à la porte du but.

Quand vous avez la rondelle, souvenez-vous toujours que vous avez quatre coéquipiers à qui vous pouvez passer la rondelle. Quand un de ceux-ci contrôle la rondelle, votre travail consiste à vous démarquer pour recevoir la passe.

Passer est l'une des techniques les plus faciles à pratiquer et à améliorer. C'est la réception de la passe qui est plus difficile. Entraînez-vous à devenir un bon capteur de passes. Si on se rend compte des vos efforts, vous allez recevoir la rondelle très souvent.

Il existe quatre types fondamentaux de passes au hockey. Dans chaque cas, assurez-vous que :

- vos deux mains sont bien éloignées du corps pour que la palette de votre bâton fasse bien face à votre objectif jusqu'à la fin de l'extension ;
- la rondelle repose bien contre la partie arrière de la palette.

Si vous trouvez que la main du haut est trop rapprochée de votre corps, c'est probablement parce que votre bâton est trop long ou que votre position est mauvaise.

Passe normale

C'est la plus simple façon d'effectuer une passe : un simple balayage en direction de l'objectif. Si votre coéquipier est en mouvement, veillez à faire la passe bien en avant de lui. Ramenez la rondelle à la hauteur du pied arrière et laissez-la partir à la hauteur du pied avant. Terminez votre mouvement en gardant votre bâton bas et toujours en direction de l'objectif.

Faire des passes

Jesse fixe les yeux sur son coéquipier, la rondelle bien installée dans le creux de la palette et la main d'en haut éloignée de son corps. Les mains travaillent ensemble.

Il termine son mouvement en transférant son poids et en pointant son bâton vers la cible.

Passe du revers

On utilise cette passe quand le coéquipier visé patine du côté de votre revers. Fixez l'objectif du coin de l'œil. Tentez de conserver basse votre épaule la plus basse de telle sorte que la palette soit bien appuyée sur la glace. Ici aussi, les mains bougent en même temps. Le mouvement de la passe du revers fait en sorte que le haut de votre corps va pivoter pendant que l'épaule et la main la plus basse vont se redresser. Ce mouvement facilite la passe. Bien terminer en maintenant la palette face à la cible.

Passe soulevée

Pour éviter les bâtons sur la glace ou des joueurs qui s'étendent sur la glace entre vous et votre coéquipier, il faut soulever la rondelle légèrement. Utilisez vos poignets pour ramener la rondelle près de vous, puis, d'un mouvement sec au-dessus de la rondelle et au-dessous, projetez-la. N'exagérez pas, c'est une passe que vous effectuez, pas un tir. N'oubliez pas que la rondelle doit retomber à plat sur la glace avant de rejoindre votre cible.

Passe arrière

C'est la manière la plus rapide de s'échanger la rondelle, ce qui crée souvent une ouverture pour un des porteurs. Le passeur arrête la rondelle et la laisse tout simplement en arrière pour un équipier qui suit. Attention, assurez-vous que le joueur derrière vous soit bien un coéquipier. Si ce n'est pas le cas, l'équipe adverse profitera d'une échappée et vous patinerez dans la mauvaise direction.

Passe arrière : la main haute est éloignée du corps, l'épaule avant est abaissée, la rondelle est bien appuyée contre la palette.

Extension en souplesse. Poids sur le pied avant, le bâton pointant en direction de la cible. Surveillez la direction de la passe.

Aide-mémoire pour faire des passes

- La bonne passe est généralement celle qui s'effectue le plus facilement. Plus la passe est longue, plus le risque d'erreur est grand.
- Les mains travaillent à l'unisson, pas séparément. La palette doit toujours faire face à la cible.
- Si vous êtes porteur de la rondelle, tentez d'établir un contact des yeux avec votre cible. Beaucoup de passes sont ratées parce que le receveur n'attendait pas la passe.

Une passe perdue provoque généralement un revirement. La prochaine fois que vous assisterez à un match, tentez de compter les passes qui ne sont pas complétées. Même dans la LNH, trop de joueurs renoncent quand la passe n'est pas parfaite.

Recevoir une passe est plus difficile qu'en faire. Exercez-vous à compléter des passes mal faites. Rondelle derrière vous, dans les patins, dans les airs, passe qui vient de l'arrière. Voilà des occasions de démontrer votre acharnement à porter la rondelle.

Si la passe est trop en avant : en tenant votre hockey d'une seule main, celle qui est en haut, tentez de rejoindre la rondelle. Votre portée sera plus grande. Arrêtez la rondelle avec votre bâton, puis prenez-en le contrôle.

Si la passe est derrière vous : il y a deux moyens de la récupérer. Vous pouvez arrêter ou encore, d'une seule main, tendre votre bâton vers l'arrière pour que la rondelle y rebondisse jusqu'à votre patin arrière. Avec le patin, poussez la rondelle vers le bâton que vous aurez repris à deux mains.

Recevoir des passes

Mauvaise passe. Will pousse son bâton vers l'avant en le tenant d'une seule main. Il plie son genou avant pour allonger sa portée.

La rondelle déviera du patin arrière vers la palette du bâton.

CONSEIL
Pour améliorer votre réception de passe, relevez les coudes quand la rondelle est proche, ce qui vous aidera à bien poser la palette du hockey sur la glace.

Si la passe est dans les patins : alignez vos patins dans la direction de la passe, la pointe tournée vers l'intérieur, et déviez la rondelle en avant vers votre bâton. Si la passe est en arrière, placez vos patins l'un derrière l'autre, ce qui crée une cible de 61 centimètres (2 pi). Rapprochez vos mains sur le bâton pour mieux contrôler la rondelle.

Si la rondelle est dans les airs : tentez de l'arrêter avec la paume sans refermer la main. Laissez la rondelle retomber devant vous et prenez-en le contrôle avec votre bâton que vous tenez fermement à deux mains. N'essayez pas d'intercepter les passes hautes avec votre bâton.

Aide-mémoire pour bien capter les passes

- La clé pour la réception de passe est la capacité de se démarquer. Quand votre équipe a la rondelle, cherchez une ouverture.
- Pensez à « attraper » et non à « arrêter » la rondelle quand vous recevez la passe. Relâchez votre prise. Allez vers la rondelle et amortissez l'impact.
- Une bonne manière de compléter une passe consiste à rendre la tâche facile au passeur. Soyez visible. Essayez de traverser le champ de vision du passeur dans la zone centrale. Tenez votre bâton sur la glace pour offrir une bonne cible.
- Parfois un long détour est le plus court chemin pour recevoir la rondelle. En faisant un demi-cercle vers un endroit pas trop éloigné, vous conserverez votre vitesse lorsque la rondelle arrivera et vous serez mieux placé pour la voir.
- Récupérez une rondelle bondissante en plaçant votre patin derrière la palette. Maintenez votre bâton sur la glace en l'appuyant contre votre patin.
- Ne renoncez pas quand les passes sont imprécises. Plus vous réussirez à en compléter, plus on dirigera la rondelle vers vous.

CONSEIL DE LA LNH

« Pour compléter une mauvaise passe, le secret c'est d'utiliser tout le corps. Exercez-vous à récupérer la rondelle avec les patins ou à l'intercepter avec votre bâton dans les airs. »

PAUL KARIYA

Jordan récupère une passe derrière lui. Avec son bâton, il ramène la rondelle vers lui...

...et la pousse en avant avec son patin...

...vers la palette tournée vers l'intérieur pour bien capter la rondelle. Cela demande de l'entraînement.

Recevoir des passes

LA DIFFÉRENCE entre les véritables marqueurs et les joueurs ordinaires ne réside pas dans l'aspect technique. Les marqueurs pensent différemment. Ils savent qu'ils peuvent marquer. Ils savent qu'ils peuvent le faire de n'importe quel endroit autour du filet. Ils savent que même si le gardien effectue l'arrêt, il y aura un rebond et qu'ils sauteront sur le retour.

Les grands marqueurs de buts savent que s'ils ratent une occasion, ils réussiront à la suivante. Vous pouvez être comme eux. Tout joueur qui maîtrise bien le jeu peut marquer beaucoup de buts. Il est utile de pouvoir recevoir la rondelle, la transporter et la protéger. Ce sont les techniques de base, mais certains grands marqueurs ne les maîtrisent pas toutes. Si vous désirez devenir un grand marqueur, il vous faut apprendre à tirer avec précision. Ce chapitre vous enseigne comment y parvenir.

« Après une blessure sérieuse, il faut suivre un programme de réadaptation et de remise en forme. Et surtout, demeurer positif. »

GARY ROBERTS

Le tir du poignet est le plus fréquent. C'est un tir puissant et précis, qu'on peut exécuter immobile ou en mouvement.

La technique

Position du corps : soyez détendu. Tenez bien la rondelle au milieu de la palette. Vous la sentez. Fixez bien la cible.
Le tir : balayez le bâton vers l'avant. Au moment où il dépasse votre corps, pliez vos poignets vers l'arrière puis d'un mouvement sec, refermez-les. Le poignet du haut contrôle le bâton, celui du bas fournit la puissance et détermine la hauteur du tir.
L'extension : transférez votre poids vers le patin avant et terminez en extension votre mouvement en gardant la palette du hockey en direction de la cible. Pour un tir bas, le poignet inférieur doit se situer sur le dessus du bâton pendant que vous complétez le mouvement. Le bout de la palette doit pointer vers la cible.

Le tir du poignet

Pour un tir du poignet idéal, la rondelle doit être bien en arrière.

La poussée en puissance de Jesse a pour effet de plier le bâton au moment du tir.

Terminez le mouvement en pointant la palette vers la cible et en roulant le poignet inférieur sur le bâton.

CONSEIL DE LA LNH
« Le tir du poignet n'a pas besoin d'être puissant si vous tirez rapidement. Votre patin arrière doit être bien planté dans la glace pour assurer stabilité et puissance. »
TONY AMONTE

Aide-mémoire pour le tir du poignet

- Travaillez avec les deux poignets. Ouvrez les poignets, puis refermez-les rapidement au moment du tir. Le pouce de la main haute tire le haut du bâton vers votre corps.
- Pour plus de puissance, transférez votre poids du patin arrière sur le patin avant.
- Le corps doit pivoter dans le sens du tir.
- Complétez le mouvement en pointant la palette vers la cible à la hauteur de tir que vous souhaitez. C'est le pouce de votre main inférieure qui guidera le bâton pour obtenir un tir bas.

C'est presque une arme secrète dans la LNH. Vincent Damphousse l'utilise comme beaucoup d'autres grands marqueurs. C'est le tir du revers. Adam Oates baisse sa prise sur le bâton pour le rendre plus efficace. Et pour Mark Messier, c'est l'arme favorite. Les palettes courbées ont presque fait disparaître le tir du revers, ce qui fait que les gardiens ne s'y attendent pas trop. Le mouvement du revers laisse croire au gardien que le tir sera haut ; or, les bons tireurs qui peuvent décocher des tirs du revers bas marquent souvent des buts.

La technique

La technique est la même que pour le tir du poignet, sauf que le tir est effectué de l'autre côté du corps. Il faut exécuter le même balayage, le même mouvement soudain des poignets, le même transfert de poids d'un patin sur l'autre, et compléter le mouvement en pleine extension.

Jordan voit bien la cible du coin de l'œil.

La puissance est produite par le changement de position du haut du corps et le transfert de poids.

Travaillez en souplesse. Effectuez un tir bas en poursuivant le mouvement près de la glace.

Le tir du revers

Position du corps : pensez à baisser l'épaule avant pour que la palette repose à plat sur la glace.
Compléter : en terminant le mouvement près de la glace, le tir demeure bas.

Aide-mémoire pour le tir du revers

- Essayez-le tout simplement. Essayer est déjà un grand pas.
- Utilisez votre corps. Commencez en abaissant votre épaule avant. Gardez la main du haut près du corps.
- Il ne faut pas soulever la rondelle, mais la pousser. Terminez le mouvement en tenant le bâton près de la glace.

La technique

Vous devriez attendre avant de vous exercer au tir frappé. C'est une manœuvre exigeante autant pour vous que pour le bâton. C'est un tir difficile à contrôler et l'élan arrière prend du temps. Mais personne ne veut attendre. Quelle satisfaction ! Quelle puissance ! Et quel bruit ! Alors si vous décidez de vous y mettre, aussi bien le faire correctement.

Position du corps : la rondelle est à l'opposé de votre pied avant. Regardez-la plutôt que la cible. Gardez la tête basse durant tout le mouvement.

Les mains : de la main supérieure vous serrez bien le bâton. Glissez l'autre main vers le bas pendant l'élan arrière. Serrez cette main sur le bâton.

Le tir : durant l'élan avant, votre poids va se transférer automatiquement sur le patin avant. Mettez toute la force de vos épaules et de vos bras dans l'élan pendant que votre poids passe vers l'avant. La palette devrait atterrir sur la glace juste derrière la rondelle, que vous voulez frapper près du talon. Redressez les poignets au moment de l'impact.

Le tir frappé

Vos yeux fixent la rondelle. Inspirez. Gardez l'élan arrière bas pour un tir plus rapide.

Mettez tout votre poids dans le tir. Le contact avec la glace se fait quelques centimètres derrière la rondelle.

Poursuivez la rotation de votre corps. Tout le poids repose sur le patin avant. Visez la cible.

CONSEIL DE LA LNH

« Tirez rapidement. Si vous surprenez le gardien, vous avez une chance de marquer. »

JOE SAKIC

Complétez votre mouvement : allongez vos bras le plus possible vers l'avant. Mettez tout votre poids sur le patin avant pendant que vous orientez la palette vers la cible. La hauteur du tir dépendra de l'endroit où vous frapperez la rondelle. Plus la rondelle sera en avant de vous, plus le tir sera haut.

Aide-mémoire pour le tir frappé

- Où est la rondelle ? Fixez-la bien.
- Gardez la tête basse jusqu'à ce que le mouvement soit complété.
- La palette atterrit sur la glace quelques centimètres devant la rondelle.

Le tir frappé court est le tir le plus rapide et sûrement l'un des plus difficiles à stopper pour un gardien de but. C'est aussi un tir qu'on peut effectuer près des patins parce qu'il nécessite peu d'élan. C'est une combinaison du tir du poignet et du tir frappé.

Ce tir surprend tout le monde. Même entouré de plusieurs joueurs vous pouvez l'effectuer. C'est un lancer difficile à apprendre mais qui est très efficace.

La technique

C'est le tir qui demande le plus d'entraînement. Exercez-vous autour d'un quart de cercle en tirant de tous les angles, à partir de votre coup droit à côté de votre patin avant jusqu'au devant du pied avant qui pointe vers l'extérieur. Expirez fortement pour obtenir une puissance explosive.

Position du corps : la rondelle peut se trouver n'importe où sur le côté de votre coup droit, même devant vous. Vous pouvez vous déplacer latéralement devant le filet. C'est aussi un très bon tir sur réception.

CONSEIL

Pour conserver votre équilibre, pliez les genoux au moment de compléter le mouvement.

Tout le poids de Michelle repose sur son patin intérieur.

Le tir est effectué devant le patin avant. Le gardien n'est pas prêt.

Le corps tourne pour augmenter la puissance. Voilà un tir frappé court dans les règles de l'art.

Le tir frappé court

Les mains : déposez la palette sur la glace. Gardez les poignets rigides durant le tir. Complétez avec une extension courte. Le point de contact est le centre de la palette. L'élan est court mais explosif.

Complétez votre mouvement : conservez votre équilibre. Beaucoup de joueurs tombent en arrière après le transfert de poids avant. Le patin arrière quitte souvent la glace pendant l'achèvement du mouvement. Prenez garde à la mise en échec.

La plupart des buts sont marqués à partir d'une zone de tir que les commentateurs appellent souvent « zone privilégiée » ou « enclave ». C'est un triangle imaginaire dans lequel, peu importe sa position, le joueur voit presque toute l'ouverture du but. Dans cette zone, vous êtes assez près du gardien pour marquer un but avec un bon tir.

Quand vous êtes dans la zone de tir de l'adversaire, il faut presque toujours tirer. Pourquoi ne pas passer ? Parce que cette zone est pleine de joueurs, qu'une passe risque de se retrouver sur une palette adverse ou que le coéquipier à qui vous destinez la passe risque de perdre la rondelle dès sa réception. Vous pouvez faire des passes en direction de cette zone, mais pas quand vous-même êtes à l'intérieur.

Quand faire une passe

Il y a néanmoins une situation où il faut toujours faire une passe même si vous êtes dans cette zone : lorsque vous êtes en situation

La zone de tir

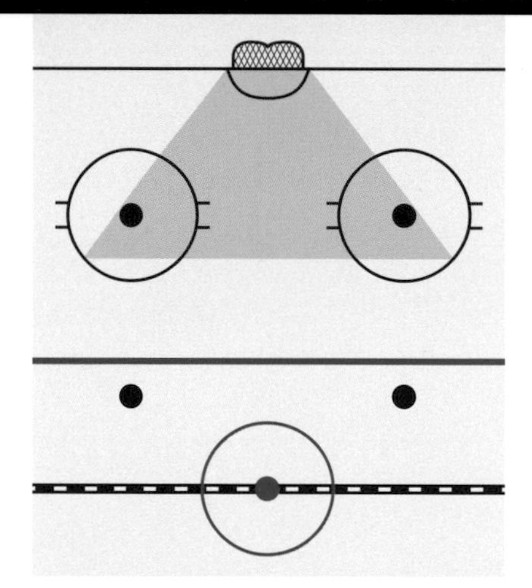

Si vous êtes en possession de la rondelle dans ce triangle, tirez. Votre coéquipier se chargera du retour.

Tyler, le coéquipier de Will, est ici en dehors de la zone de tir. Ne passez *jamais* dans cette zone. Tyler devrait se diriger vers le but.

CONSEIL DE LA LNH

« Analysez bien le jeu et choisissez le meilleur moment pour tirer quand vous êtes devant le filet. Apprenez à connaître les réactions de vos compagnons de ligne dans certaines situations favorables. »

BRETT HULL

de deux contre un et que vous êtes certain que le défenseur ne pourra intercepter la rondelle. Par principe, dirigez-vous en force vers le but pour qu'on pense que vous allez tirer. Transportez la rondelle du côté où vous tirez pour attirer le gardien vers vous. Puis passez. Votre coéquipier n'aura qu'à glisser la rondelle facilement dans le filet.

Souvenez-vous que si vous êtes en possession de la rondelle dans cette zone, vous avez une bonne chance de marquer. Si vous perdez la rondelle, voilà une chance en or évanouie. Or, faire une passe dans cette zone résulte souvent en une perte de la rondelle. Alors tirez. Tirez sur le but et précipitez-vous pour capter le retour.

MARQUER

déjouer ou tirer ?

VOUS VOILÀ SEUL devant le gardien de but. Vous avez imaginé cette situation des dizaines de fois. Que faire ? C'est le gardien qui vous le dira. Pas en parlant, mais en vous montrant comment il va réagir. Cela s'appelle le langage corporel. Ce n'est pas très compliqué. Il vous suffit de bien observer.

Le gardien est-il enfoncé dans son filet ou bien sorti ? Peu importe la stratégie du gardien, vous disposez de plusieurs options. Analysez, puis réagissez.

Marquer est un jeu de chiffres. Pas le nombre de buts ou d'aides que vous produisez, mais le nombre de possibilités qui s'offrent à vous quand vous êtes en position de marquer. Il n'y a jamais qu'une seule façon de marquer. Vous avez le choix. Découvrez ce que le gardien vous offre et prenez-le.

N'oubliez jamais que c'est vous qui avez la rondelle. Cela vous donne l'avantage.

Quand vous êtes en position de tirer, vous transportez la rondelle d'un côté. Cela signifie que la perspective de la rondelle par rapport au but et au gardien est différente de la vôtre. C'est ce qu'on appelle *l'illusion du tireur.*

Il y a deux différences de perspective. Premièrement, la rondelle repose sur la glace, tandis que vos yeux sont beaucoup plus haut. De plus la rondelle est probablement à un mètre de vous. Cette différence entre votre angle de vue et celui de la rondelle peut vous jouer de mauvais tours. Mais vous pouvez aussi en profiter.

Devant le but

Imaginons que vous êtes directement devant le but avec la rondelle sur le côté de votre coup droit. Le gardien se tient au milieu de l'embouchure du filet. Vous voyez le même espace des deux côtés du gardien mais la rondelle en voit un peu plus. Donc, vous tirez.

L'illusion du tireur

Le gardien est devant le tireur, mais pas devant la rondelle. Lancez du côté court.

Le gardien couvre ses angles parfaitement. Il y a peu d'ouvertures.

Quand vous provenez de votre côté habituel, la rondelle se voit offrir plus d'espace sur le côté court.

De votre aile

Cela fonctionne encore mieux quand vous vous présentez dans un certain angle. Disons que, comme la majorité des droitiers, vous tirez de la gauche et que vous êtes sur votre aile entre le point de mise en jeu à gauche du filet. Vous voyez le gardien entre les deux poteaux du but, mais pour la rondelle, se présente une ouverture du côté court. Si vous apercevez un bout du filet, tirez de ce côté. Et précipitez-vous en quête du rebond.

Hors l'aile

C'est dans cette position que l'illusion du tireur est la plus efficace. Vous êtes hors l'aile, du côté droit. La situation est similaire : le gardien est au centre du but. Pour la rondelle, l'ouverture est plus grande du côté éloigné. Plus vous vous rapprochez du but, plus l'ouverture qui s'offre à la rondelle est grande. Approchez-vous et tirez vers le coin éloigné du filet.

Vous ne distinguerez pas l'ouverture mais la rondelle la verra. Il est possible que vous ne verrez même pas le disque quand il pénétrera dans le but.

Si le gardien couvre bien ses angles

Ne vous faites pas duper. Les gardiens paient cher pour comprendre le phénomène de l'illusion du tireur, mais ils apprennent. Un gardien qui joue bien ses angles se place devant la rondelle, pas devant vous. Dans les situations que nous avons décrites, l'ouverture sera toujours plus grande du côté rapproché. Mais cette illusion fonctionne aussi au profit du gardien. Cela s'appelle « jouer les angles ».

CONSEIL

Vérifiez si le gardien s'aligne sur la rondelle ou sur vous. Si le gardien est au centre du but, vous détenez l'avantage. Exécutez votre meilleur tir.

Le gardien profite de l'illusion. Vous voyez beaucoup d'espace en haut...

...mais il n'y a presque pas d'ouverture pour la rondelle sur la glace. Le gardien ferme tous les angles.

Aide-mémoire à propos de l'illusion du tireur

- Lors d'une échappée, donnez-vous un avantage en bougeant légèrement d'un côté ou de l'autre. Forcez le gardien à réagir.
- Si le gardien ne bouge pas, tirez. La plupart du temps, vous allez tirer sur le filet.
- Plus vous êtes près du filet, plus il y a d'ouvertures pour la rondelle. Rapprochez-vous du but.

« Lors d'une échappée, je pense à quelques possibilités. Tout dépend du gardien, de l'approche que je choisis vers le filet, de ma vitesse, etc. Puis c'est une réaction pure. »

SAKU KOIVU

On dit souvent que ce sont des buts de plombiers, pas des jolis buts. C'est que les buts marqués sur rebond sont les plus faciles. Vous n'avez qu'à pousser la rondelle dans le but. Une analyse de 1 200 buts dans la LNH a permis de découvrir que près de la moitié avaient été marqué à moins de trois mètres (10 pi) du but. Pour réussir ces buts, vous devez avoir de la volonté, car le devant de la cage du gardien est un endroit dangereux. Devant le filet, vous attirez beaucoup l'attention.

La technique

1. Formez un tripode avec vos patins et votre bâton.
2. Appuyez-vous sur le bâton. Tenez-vous solidement.
3. Surveillez d'où vient le tir, puis regardez les jambières du gardien. Si vous regardez le tir, vous ne pourrez réagir à temps, mais si vous surveillez les jambières du gardien, vous verrez dans quelle direction ira le retour.
4. Estimez le bon moment pour arriver au filet. Dirigez-vous vers le filet même quand le gardien semble en possession de la rondelle.

CONSEIL
Habituellement les gardiens stoppent les tirs hauts et ne donnent pas de retour. Ce sont les tirs bas qui résultent en rebonds. Donc, tirez bas.

Pour profiter des retours, il faut être là où la rondelle va se diriger. Ici, un tir du coin rebondit vers le devant du filet...

...où Nicolas, qui s'est démarqué de son surveillant, a énormément d'espace pour tirer vers le côté éloigné du filet.

Les retours de lancer

Aide-mémoire pour les retours de lancer

- Ne soyez pas surpris quand le rebond se dirige vers vous. Il faut l'attendre.
- Ne précipitez pas votre tir. Prenez votre temps.
- Utilisez votre corps pour protéger la rondelle. Préparez-vous à être frappé.
- Si le retour est près du gardien et que celui-ci est allongé sur la glace, ramenez la rondelle vers vous et tirez vers le haut du filet.
- Même si le filet est béant, tirez avec force en tentant de soulever la rondelle.

Quand vous êtes en possession de la rondelle près du filet, croiser devant le gardien de but vous donne la meilleure chance de marquer. Vos chances sont meilleures que lors d'une échappée. Durant une échappée, vous précipitez vos mouvements et vous êtes poursuivi, mais quand vous croisez devant le filet, vous prenez la défensive par surprise et avez beaucoup de temps pour tirer.

En croisant devant le filet, vous améliorez vos chances de marquer. Pensez-y bien. Lors d'une échappée, vous faites habituellement une feinte, qui dépend du comportement du gardien. Or, quand vous croisez devant le filet, vous forcez le gardien à se déplacer sur 1,8 mètres (6 pi), ce qui augmente vos chances de marquer. Le but est large et la rondelle est petite.

Alors quand vous vous trouvez seul avec la rondelle dans un coin de la zone offensive et que tous vos coéquipiers sont couverts, voici ce que vous pouvez faire : dirigez-vous vers le devant du but comme si la glace vous appartenait et prenez une chance.

Croiser devant le filet

Comme Michelle protège bien le poteau rapproché, Jordan feint de tirer et croise devant le but. Même si Michelle fait le second arrêt...

...le retour de lancer donne à Alexandre une troisième chance. Il marque.

CONSEIL

Chaque fois que vous croisez devant le filet, vous vous donnez cinq chances de marquer. C'est beaucoup plus que lors d'une échappée.

La technique

Vous avez cinq possibilités :

1. Si le gardien pense que vous allez croiser, il va peut-être quitter le poteau rapproché. Si cette ouverture se crée, tirez.

2. Si vous venez de votre aile vous pourrez peut-être croiser devant le gardien en transportant la rondelle derrière vous. Au moment où le gardien bouge, tirez haut dans le côté rapproché.

3. Le gardien doit se mouvoir dans la même direction que vous. Faites une feinte de tir pour le forcer à rester près du poteau, puis, quand il écarte les jambières pour vous suivre, glissez la rondelle dans cette ouverture.
4. Si le gardien effectue une glissade avec les deux jambières, regardez vers l'arrière. C'est le haut de son corps qui touchera la glace en dernier. C'est là que vous devez tirer.
5. Si aucune de ces ouvertures ne se présente, c'est que le gardien est complètement allongé sur la glace. Dépassez le poteau éloigné et tirez dans le haut du filet.

Aide-mémoire pour croiser devant le filet

- Faites attention. Le gardien va peut-être tenter de harponner la rondelle avec son bâton quand vous serez près de lui. Si vous voyez le gardien remonter rapidement sa main vers le haut du manche, préparez-vous à tirer au moment où il allonge le bâton vers vous.

CONSEIL DE LA LNH

« Quand vous allez vers l'extérieur, vous pouvez prendre de la vitesse, puis croiser devant le filet. J'ai souvent marqué en effectuant cette manœuvre. »

SERGEI FEDOROV

Ici, Jordan effectue un croisement en venant de son aile (la gauche), il feint le tir pour immobiliser le gardien...

...et il continue son croisement, ce qui crée une ouverture pour son revers ou son tir du poignet.

Croiser devant le filet

- Concentrez-vous sur le gardien et le filet. Patinez rapidement. Prenez une décision. Croisez devant la ligne qui limite la zone du gardien.
- Pensez au côté court en premier.
- Ensuite, attendez que le gardien tourne le pied pour amorcer son déplacement latéral. Ne tirez pas en puissance, contentez-vous de glisser la rondelle entre les jambières du gardien.
- Si vous n'avez pas encore marqué et que vous terminez votre manœuvre de croisement, tirez du revers par-dessus la jambière ou derrière le pied du gardien.

L'échappée

Parfois tout se joue entre vous et le gardien, un seul jeu qui décidera de tout. Dans cette situation, vous devez toujours vous souvenir que c'est vous qui détenez l'avantage parce que vous possédez la rondelle. C'est vous qui avez l'initiative. Il faut que vous ayez un plan précis.

Surtout, demeurez détendu. Vous savez ce que vous allez faire. Le gardien l'ignore.

La technique

Il existe plusieurs manières de marquer lors d'une échappée. La manœuvre que vous choisirez dépend toujours de la position du gardien. Mémorisez les techniques d'échappée qui suivent et répétez-les aussi bien dans votre tête que sur la glace. Avant de décider d'une manœuvre, il faut vérifier trois points : le gardien est-il enfoncé dans son but ou bien en avant ? Couvre-t-il bien l'angle ? Se déplace-t-il latéralement ?

Kendall a adopté une position parfaite. Vous ne voyez pas beaucoup d'ouvertures.

Will a décidé d'obliquer par la droite pour se donner un meilleur angle...

...et il y va de son revers pour profiter de l'ouverture.

CONSEIL DE LA LNH

« Si le gardien est profondément dans le filet, choisissez les coins. S'il s'est avancé, exécutez une feinte pour qu'il vous laisse une ouverture. »

JEREMY ROENICK

Le gardien est-il dans son but ou à l'extérieur ?

Gardien dans la cage = tir. Si le gardien est profondément dans sa cage, transportez la rondelle jusqu'à lui, faites semblant de vouloir le déjouer et tirez dans l'ouverture. Tournez-vous légèrement vers votre côté naturel pour améliorer votre angle.

Gardien sorti = déjouer. Si le gardien s'est avancé hors de son but et a réduit les angles, vous devez effectuer une feinte de tir, puis le contourner sur votre côté naturel.

Gardien bouge le premier = tir dans l'ouverture. Certains gardiens prennent des risques et font le premier geste. Faites le contraire et tirez.

Le gardien protège-t-il bien ses angles ?

Le gardien joue-il bien l'angle, vous privant d'un tir et, en reculant, vous empêchant de le déjouer? C'est ce que tout gardien *devrait* faire. Vous bougez tous les deux en direction du but. Le gardien possède l'avantage.

Faites bouger le gardien. Obliquez, feintez d'un côté et allez dans l'autre direction. Aucun gardien ne réussit à bouger en même temps dans deux directions.

Le gardien se déplace-t-il latéralement ?

Si le gardien bouge latéralement, vous avez plus de possibilités. Les ouvertures qui se présentent sont à peu près les mêmes que lorsque vous croisez devant le filet.

Déplacement latéral du gardien = tir entre les jambières. Attendez que le gardien écarte les jambières. Glissez la rondelle dans l'ouverture.

CONSEIL DE LA LNH

« En échappée, analysez ce que le gardien vous offre comme possibilités. S'il laisse une grande ouverture pour tirer, tirez. Sinon, forcez-le à bouger pour obtenir une ouverture. »

MIROSLAV SATAN

Forcez le gardien à bouger latéralement. Cela vous conférera l'avantage.

En choisissant le revers, Tyler voit changer l'angle d'ouverture de 1,2 mètre (4 pi).

Le gardien est sur la glace et le filet ouvert. C'est un but facile.

L'échappée

Aide-mémoire pour l'échappée

- Préparez-vous pour les échappées. Recherchez-les.
- Analysez et réagissez. Laissez le gardien vous indiquer comment réagir.
- Transportez la rondelle dans votre position naturelle de tir.
- Si possible, donnez-vous un angle dès la ligne bleue (comme dans un lancer de punition). Par exemple, tourner légèrement du côté de votre revers crée un angle hors l'aile. C'est souvent la tactique de Mario Lemieux.
- Décidez de quel côté vous effectuerez un tir du poignet. Du côté du bâton vous tirerez bas, du côté du gant vous viserez haut.

« Dans votre zone, il est important de vous poster toujours entre votre adversaire et votre but. Si la rondelle va derrière vous, vous devez empêcher le joueur de la récupérer. »

ROB BLAKE

AMÉLIORER SA DÉFENSIVE

MÊME LES PLUS GRANDES vedettes sont en possession de la rondelle moins d'une minute durant chaque match. Cela laisse aux joueurs qui ont un talent moyen 59 minutes pour faire la différence…s'ils jouent bien défensivement.

Le principe de base en défensive est simple : quand une équipe ne contrôle pas la rondelle, tous les joueurs se transforment en défenseurs. Seulement quelques vedettes sont de grands marqueurs, mais tous les joueurs d'une équipe peuvent être utiles quand elle n'est pas en possession de la rondelle. Si vous jouez bien défensivement, votre équipe contrôlera la rondelle plus souvent. Et vous, vous l'aurez plus souvent.

Parfois c'est un individu qui provoque un revirement, parfois c'est le résultat d'un travail d'équipe. Peu importe, il est certain que votre équipe sera en possession de la rondelle plus souvent si votre jeu défensif est efficace.

Quand vous êtes le joueur défensif le plus près de la rondelle, votre position et l'angle d'attaque sont déterminants.

Position

Votre position est l'endroit où vous devriez être sur la glace. Dans votre propre zone par exemple, vous devez vous poster entre le joueur que vous marquez et le but.

Angle

L'angle d'attaque par rapport au porteur du disque est la direction que vous choisissez pour forcer le joueur adverse à faire ce que vous souhaitez. Si vous choisissez un angle qui va du milieu de la glace vers la bande durant l'échec avant, vous forcez le joueur à passer la rondelle le long de la rampe. Le coéquipier qui vous suit peut alors deviner la trajectoire de la rondelle et aller se placer pour l'intercepter.

Position et angle

Le joueur en échec avant distingue bien le numéro du porteur de la rondelle. Cela signifie attaquer, poursuivre la rondelle.

Le défenseur contrôle la rondelle et doit jouer la passe.

Analyser et réagir

En défensive, il faut analyser et réagir rapidement. Si vous êtes le premier joueur en échec avant, vous devez savoir si l'adversaire contrôle bien la rondelle. Un des secrets, c'est le numéro ou l'écusson de l'équipe sur le devant du chandail. Vous êtes le premier à vous présenter. Que voyez-vous ?

- Si vous voyez l'écusson de l'équipe, c'est que le joueur est en plein contrôle de la rondelle et se dirige vers vous. Fermez le jeu en tenant votre position.
- Vous voyez son numéro. Cela signifie que l'adversaire tente de prendre le contrôle de la rondelle. Allez vers lui.

Analyser le jeu

Si vous êtes le deuxième joueur en échec avant, vous devez aussi analyser et réagir rapidement. Ne vous précipitez pas sans avoir réfléchi. Vous devez bien évaluer le jeu qui se déroule profondément dans la zone offensive. Si vous êtes le deuxième joueur, voici ce que vous devez surveiller :

- Quel est l'angle d'attaque du premier coéquipier ?
- Dans quelle direction celui-ci tente-t-il de provoquer la passe du joueur adverse ?
- Le porteur de la rondelle la contrôle-t-il bien ?
- Le premier joueur en échec avant attaque-t-il ou contient-il le jeu ?
- Sur qui peut compter le porteur de la rondelle ? Des joueurs l'appuient-ils ?

Ce sont les premiers signes qui vous diront comment le jeu se déroulera. Le deuxième joueur en échec avant doit analyser ces signes et se diriger là où normalement la rondelle devrait se rendre avant que la passe ait été effectuée.

CONSEIL DE LA LNH
« Donnez-vous toutes les chances de réussite pour ne pas avoir de regrets ensuite. »
SCOTT STEVENS

Le deuxième joueur en échec avant va où la passe a été dirigée, il prend le contrôle de la rondelle et cherche un troisième coéquipier posté devant le filet.

Le passeur, lui, a été éliminé par la mise en échec du premier joueur.

Position et angle

Jouer en équipe

Dans cette phase du jeu, le travail en équipe est fondamental. Le deuxième joueur en échec avant doit être conscient de ce que son coéquipier tente de provoquer comme passe de l'adversaire et se diriger rapidement là où la rondelle devrait aboutir. Si le premier joueur peut s'emparer de la rondelle ou le deuxième intercepter la passe, ces deux joueurs, en travaillant ensemble, peuvent obtenir une bonne chance de marquer.

On passe de la défensive à l'offensive en une fraction de seconde !

Vous êtes en échec avant et vous approchez du porteur de la rondelle, ou encore vous êtes dans votre zone et le porteur du disque se dirige vers vous. C'est le moment de vous emparer de la rondelle.

Harponnage

C'est le meilleur moyen d'agir quand le porteur du disque se dirige droit vers vous. Tenez votre bâton d'une seule main (la main haute) et allongez votre bâton vers la rondelle avec la palette à plat sur la glace. Conservez votre équilibre.

Balayage

Cette méthode est efficace quand le joueur adverse est un bon manieur et se présente devant vous ou légèrement de côté. Au lieu de harponner la rondelle directement, effectuez un balayage avec votre bâton bien bas sur la glace et frappez le bâton de l'adversaire.

Échec avec le bâton

Harponnage : attaquez directement la rondelle, la tête droite en tenant le bâton d'une seule main.

Balayage : vous couvrez plus de glace et forcez l'adversaire à abandonner la rondelle.

CONSEIL

Attention de ne pas soulever le bâton de votre adversaire au-dessus de la taille, car c'est ainsi que plusieurs blessures dues au bâton sont causées.

Soulever le bâton

Quand vous vous approchez du porteur de la rondelle de biais ou par l'arrière, soulevez son bâton. Pour un meilleur appui, abaissez votre main inférieure. Soulevez le bâton de votre adversaire juste en haut de la palette, puis dirigez-vous vers le disque et récupérez-le avec la lame de votre patin arrière.

Presser le bâton

C'est la manœuvre opposée. Utilisez votre bâton pour abaisser celui de l'adversaire. Posez votre bâton là où la palette rejoint le manche.

Il est possible que les mises en échec soient interdites au niveau où vous jouez, mais quand vous mettez 10 joueurs dans un espace restreint qui courent tous après la rondelle, il se produit inévitablement des contacts physiques. L'aptitude à entrer en contact physique avec l'adversaire de façon tout à fait réglementaire est fondamentale au hockey. Et puis, c'est un bon moyen de vous préparer aux mises en échec qui seront autorisées quand vous jouerez au niveau supérieur.

> **CONSEIL**
> **Il est important d'apprendre à neutraliser les joueurs adverses sans avoir à les frapper, peu importe à quel niveau vous jouez. C'est souvent la qualité du jeu défensif d'un joueur qui lui fait gravir des échelons.**

Bloquer le couloir

Il est permis au défenseur de bloquer le chemin du porteur de la rondelle s'il s'est installé dans son couloir en premier. Ce sera illégal si vous rentrez dans son couloir.

Dans votre zone, votre première mission est de vous poster entre le filet et le joueur que vous marquez. Si celui-ci a la rondelle et que vous êtes en position, vous fermez le couloir. Ce n'est pas facile à faire, mais fermer le couloir fera de vous un bon joueur défensif.

Le joueur défensif peut tout simplement en patinant écarter le joueur offensif de la rondelle et en prendre le contrôle.

S'appuyer contre le porteur du disque le long de la rampe est permis...

...et aussi de s'interposer entre l'adversaire et la rondelle.

S'appuyer contre le porteur de la rondelle

Si vous allez dans la même direction que le porteur du disque, vous pouvez vous appuyer contre lui. Vous pouvez même réussir à le faire changer de direction. Bougez les pieds continuellement pour rester à sa hauteur. Pour éviter toute infraction, n'accrochez pas ou ne retenez pas l'adversaire.

Quand toute mise en échec est interdite, vous ne pouvez projeter le joueur adverse sur la rampe. En fait, le seul joueur que vous avez le droit de freiner, c'est le porteur du disque.

UNE FOIS que vous serez familier avec la lecture du jeu, les mouvements à exécuter et les angles à adopter pour contrer le porteur de la rondelle, vous appliquerez toutes ces aptitudes sans même y penser. L'étape suivante consiste à combiner votre habileté défensive et votre technique de patinage pour pouvoir utiliser ces deux atouts en même temps.

C'est alors que vous découvrirez tous les secrets du hockey. Quand les joueurs de la LNH parlent de « réussir les petites choses », ils veulent dire : être toujours dans la bonne position et connaître parfaitement le jeu défensif.

Il existe des situations de jeu qui se reproduisent très souvent durant un match. Vous pouvez apprendre à bien analyser ces situations et à y réagir de la bonne manière à chaque occasion.

Transformez en habitudes vos capacités défensives. C'est aussi amusant que de marquer des buts et, surtout, vous pouvez le faire plus souvent durant un match.

les secrets

DU JEU DÉFENSIF

« Je m'efforce toujours de conserver ma pleine vitesse et de ne pas ralentir. C'est pourquoi je fais souvent un tour derrière le but pour prendre de la vitesse. »

SCOTT NIEDERMAYER

Nous appelons ces mouvements compétences parce qu'il faut beaucoup d'entraînement pour les maîtriser. Mais vous sentirez le besoin de les transformer en réflexes.

Des yeux tout le tour de la tête

Pour pouvoir lire le jeu, vous devez pouvoir bien distinguer comment il se développe. Soyez conscient toujours de la position de chacun des joueurs. C'est ce que vous faites probablement quand vous patinez vers une rondelle libre, de telle sorte que vous saurez quelle option choisir quand vous en prendrez le contrôle. Regardez toujours autour de vous.

Les pieds en mouvement

Vous devez toujours être en position pour mettre en échec. Pour réussir, il faut conserver son rythme. Vos pieds doivent toujours bouger, ne vous contentez pas de glisser sur la glace. Quand vous avez perdu la rondelle, arrêtez, tournez dans la direction opposée et tentez de la reprendre.

Lire le jeu

Le porteur du disque vient de l'arrière du filet en plein contrôle de la rondelle et il accélère. Attendez-le. Ne vous précipitez pas sur lui.

Le porteur du disque se dirige vers vous à pleine vitesse. Reculez pour maintenir la distance.

Analyser et réagir

Il n'existe aucune situation de jeu où vous pouvez connaître toutes les manières de réagir sur la glace après avoir analysé la situation. La lecture du jeu et la réaction à l'ensemble du jeu sont plus qu'une compétence qui ne vous servira que dans quelques situations. C'est un moyen de mieux comprendre le jeu et d'en faire partie tout le temps.

Analyser et réagir, c'est la meilleure façon de jouer. Si vous y parvenez, vous deviendrez un meilleur joueur dans n'importe quelle situation. Un exemple d'enchaînement analyse-réaction : bien évaluer la distance entre le porteur du disque et vous.

La distance entre vous et le jeu est ce qu'on appelle en anglais le « gap ». Si vous contrôlez bien cette distance, vous détenez un avantage. Vous pouvez inciter le porteur de la rondelle à faire ce que vous désirez en décidant de l'attaquer ou de contenir sa progression. La question est bien sûr : attaquer ou contenir ?

Évaluer la distance

Plus la distance est courte entre l'attaquant et vous, meilleure est la chance qu'il vous déjoue… ou que vous lui subtilisiez la rondelle. Plus vous êtes près de la rondelle, plus le risque est grand pour vous et plus vous serez obligé d'entrer en contact avec lui. La décision de vous porter à l'avant ou de contenir le jeu dépend du contrôle du disque par l'attaquant et de l'appui de vos coéquipiers.

Plus la distance est grande, plus le porteur de la rondelle dispose de temps et d'espace pour faire un jeu. Vous devez être prêt à bouger dans toutes les directions.

CONSEIL

Bien contrôler la distance est une façon d'accentuer la pression sur le porteur du disque ou de vous donner un répit.

Nicolas ralentit, ce qui a pour effet de réduire la distance. Il force Danny à se diriger vers l'extérieur.

Quand Danny constate que la distance est grande, il peut décider de bifurquer devant Nicolas. Celui-ci devra alors se déplacer latéralement pour contrer cette manœuvre.

Contrôler la distance

Souvenez-vous qu'en contrôlant bien la distance entre vous et la rondelle, vous forcez l'attaquant à faire ce que vous souhaitez.

Aide-mémoire pour contrôler la distance

- **Réduire la distance :** vous obligez le porteur de la rondelle à vous déjouer ou à se débarrasser de la rondelle rapidement.
- **Augmenter la distance :** vous permettez au porteur du disque d'effectuer un jeu.

Vous connaissez maintenant l'importance du contrôle de la distance, mais un problème demeure : quand devez-vous attaquer ou contenir le développement du jeu ? La réponse est simple et varie selon que le porteur de la rondelle la contrôle bien ou pas.

- S'il contrôle mal la rondelle, précipitez-vous vers elle.
- S'il la contrôle parfaitement, reculez et contenez le jeu.

Qu'en est-il si vous patinez vers un adversaire qui se dirige vers une rondelle libre?

- Si vous voyez distinctement le numéro du joueur, lancez-vous vers le disque.
- Si vous voyez le devant du chandail, reculez et contenez le jeu.

Pourquoi ? Parce que si vous voyez le dos de l'adversaire, c'est que probablement il est en train de s'assurer du contrôle de la rondelle. Attaquez, mais ne précipitez pas votre adversaire contre la bande et abordez-le de biais. Mais si vous voyez l'écusson de l'équipe sur le devant, cela signifie que l'adversaire contrôle parfaitement la rondelle et qu'il cherche à effectuer un jeu. Effectuez un repli défensif.

Attaquer ou contenir ?

L'adversaire se dirige vers la bande pour récupérer la rondelle libre. Attaquez, mais attention à la rampe.

L'adversaire exerce un parfait contrôle. Vous voyez son écusson. Repliez-vous.

C O N S E I L

La technique du contrôle de la distance est utile partout sur la glace, sauf quand vous êtes près de votre but.

Aide-mémoire : attaquer ou contenir ?

- L'adversaire se dirige vers vous rapidement. Repliez-vous et contenez le jeu.
- Les attaquants sont en surnombre. Contenez le jeu et tentez d'empêcher la passe. Ralentissez le jeu pour attendre l'appui de vos coéquipiers.
- L'adversaire a de la difficulté à saisir la rondelle. Attaquez.

Qu'est-ce que le couloir central ?

Le couloir central est une voie imaginaire qui traverse la glace d'un filet à l'autre entre les points de mise en jeu. L'équipe en possession de la rondelle doit réussir à la placer dans ce couloir devant le but adverse pour obtenir une bonne chance de marquer. L'équipe en défensive doit tenter de repousser la rondelle à l'extérieur de ce couloir vers les bandes.

Quand on y réfléchit, c'est évident. Durant un avantage numérique, les défenseurs permettent à la rondelle de se déplacer en dehors de cette zone centrale qu'ils protègent. Ils font tout aussi pour l'empêcher de pénétrer dans la zone de tir.

Le hockey se joue donc principalement dans trois zones bien délimitées, mais aussi à l'intérieur et à l'extérieur d'un espace imaginaire. Cet espace imaginaire, c'est le couloir central qui va d'un but à l'autre au centre de la glace.

CONSEIL DE LA LNH

« Quand je travaille plus fort dans les affrontements à un contre un, je récupère la rondelle plus souvent. Je n'attends pas le disque, je vais le chercher. Ma défensive crée mon offensive. »

MIKE MODANO

Quand vous êtes en défensive, n'oubliez jamais le couloir central. À l'intérieur du couloir, en zone offensive ou défensive, vous attaquez la rondelle. Quand le jeu est à l'extérieur du couloir, contenez le jeu.

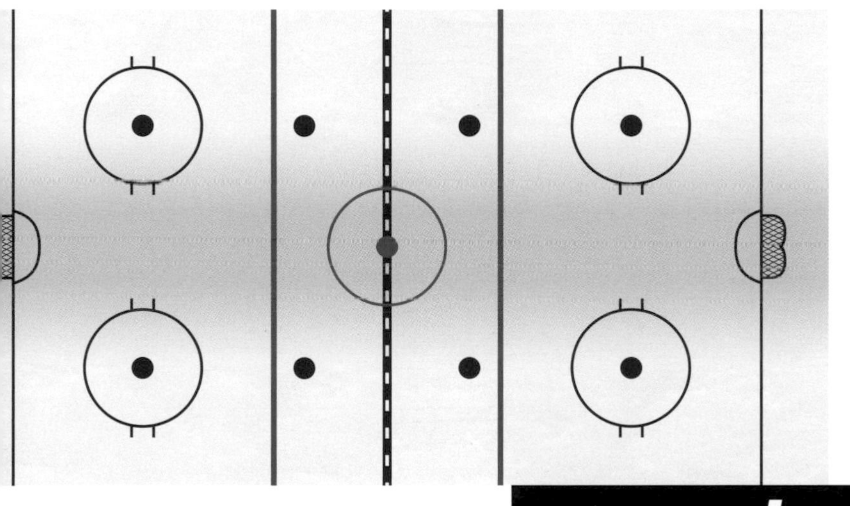

Le défenseur est posté devant l'épaule intérieure du tireur, le forçant à se diriger vers l'extérieur.

Le couloir central

Contrôler le couloir central

Vous devez être continuellement conscient de cet espace imaginaire pour bien jouer défensivement. La plupart des bonnes occasions de marquer proviennent de cette zone. Plus vous parviendrez à maintenir l'équipe adverse à l'extérieur de ce couloir, moins elle marquera de buts.

Durant un match, ce principe résume toutes les batailles. Chaque fois que vous déciderez d'attaquer le porteur du disque ou de le contenir, votre décision dépendra en partie de la situation de la rondelle dans cette zone imaginaire qui traverse la glace.

Quand l'adversaire possède la rondelle :
- contrôlez le jeu dans le couloir central ;
- forcez l'adversaire à tirer de l'extérieur.

Jouer en fonction du couloir central

Pensez toujours à cette zone quand l'adversaire possède la rondelle peu importe où vous vous trouvez sur la glace. Jouez la rondelle si le porteur de la rondelle est devant votre but ou le sien.

Attaquez toujours la rondelle quand elle est proche d'un des filets. Ces deux endroits se trouvent dans le couloir central.

Si l'adversaire contrôle bien la rondelle, vous pouvez choisir de le repousser vers la rampe. En cet endroit, il n'est pas dangereux. Essayez d'intercepter toute passe dirigée vers le centre de la glace. Là, les adversaires sont plus dangereux.

Le couloir central

Devant le filet : surveillez la rondelle et demeurez en contact avec le joueur que vous surveillez.

La tête en mouvement, la palette sur la glace, le regard vers celui qui attend la passe, voilà la bonne position défensive.

Aide-mémoire pour le couloir central

- Concédez l'extérieur à l'adversaire. Bloquez le centre de la glace.
- Près du but, jouez la rondelle.
- Interceptez les passes dirigées vers le centre de la glace.
- Demeurez toujours du côté intérieur du joueur que vous surveillez.
- Quand l'adversaire est en possession de la rondelle, protégez le couloir central. Repoussez les joueurs adverses à l'extérieur, ils auront moins de chances de marquer.

DÉFENSIVE

la zone défensive

À CHACUN DE VOS TOURS sur la glace, vous devez prendre plusieurs décisions. Ce que vous devez faire dépend de votre position.

Votre zone défensive est la zone de tous les dangers. Vous devez être toujours en alerte, bien lire le jeu et réagir avec la vitesse de l'éclair. Mettre un joueur en échec près de votre filet peut fournir autant de satisfaction que marquer un but, et c'est tout aussi important.

Les règles sont simples. Postez-vous toujours entre le filet et le joueur que vous surveillez. Gardez un œil sur la rondelle. Votre bâton doit être sur la glace et vous devez protéger le centre.

Quand vous jouez défensivement dans votre zone, vous possédez un avantage ; vous savez où l'adversaire veut diriger la rondelle. Soyez patient, placez-vous bien et la rondelle se dirigera dans votre direction.

Position

La première règle en défensive dans votre propre zone consiste à choisir l'adversaire que vous devrez surveiller et de vous poster toujours entre le filet et lui.

Si vous marquez bien votre adversaire, la plupart du temps vous parviendrez à l'éliminer du jeu. Mais il ne s'agit pas seulement de le surveiller de près, il faut aussi voir l'ensemble du jeu, ne pas être distancé. Utilisez votre bâton pour maintenir le contact avec l'adversaire lorsque vous quittez la rondelle des yeux.

Ne quittez votre adversaire que si vous avez une bonne chance de vous emparer de la rondelle. Soyez sûr à 100 %. S'il y a un doute, gardez votre position.

Presser ou contenir

Dans votre zone, plus que partout ailleurs sur la glace, vous devez vous emparer de la rondelle si le joueur que vous surveillez est en sa possession. Si vous réussissez, le danger pour votre équipe disparaît. Mais si vous échouez, les dangers se multiplient.

La zone dangereuse

La passe provient du coin. Les yeux sur la rondelle, vous immobilisez le bâton de l'adversaire avec le vôtre.

Le porteur de la rondelle sort du coin. Restez avec le joueur dont vous êtes le responsable. Laissez le tireur au gardien.

En gros, disons qu'il faut exercer une pression prudente. Cela signifie que parfois il vaut mieux contenir que mettre de la pression.

Par exemple, quand le porteur de la rondelle vient du coin et qu'un de ses coéquipiers est installé dans la zone de tir, le porteur peut faire deux choses : tirer ou passer. Vous devez contenir le jeu. Votre boulot consiste à marquer votre joueur. Cela forcera le porteur du disque à se diriger vers le but. Votre gardien s'en occupera.

Quand contenir ?

- Quand vous êtes le dernier joueur défensif.
- Lorsqu'une mauvaise mise en échec pourrait donner à l'adversaire une occasion de marquer. Laissez le porteur du disque se diriger vers vous. Cela s'applique particulièrement à la situation où l'adversaire vient d'un coin. Si la mise en échec est ratée, le porteur de la rondelle se retrouvera seul devant votre filet. Reculez. Demeurez entre lui et le but.
- Quand l'équipe adverse est en surnombre autour de votre but. Ne vous sortez pas du jeu en pourchassant la rondelle. Laissez le gardien se préoccuper du porteur du disque et jouez pour intercepter la passe.

Quand exercer la pression ?

À un moment ou à un autre, vous n'aurez pas le choix : le jeu se déroulera près de votre but et vous devrez attaquer le détenteur de la rondelle. Obligez le porteur du disque à effectuer une passe ou à tirer sur le gardien.

CONSEIL

Restez calme. Ce n'est pas parce que l'adversaire contrôle la rondelle dans votre zone qu'il va automatiquement réussir un but. Demeurez détendu. Marquez bien votre joueur et attendez que la rondelle vienne dans votre direction.

Couvrir la pointe : faites face à votre joueur et ne quittez pas la rondelle des yeux.

Le joueur posté devant le but ne quitte sa position que s'il est certain à 100 % de s'emparer de la rondelle.

La zone dangereuse

- Ne perdez pas pied, cela vous sortirait du jeu. Ne tentez pas de dévier un tir. Laissez le gardien bien voir la rondelle.
- Si votre équipe est désorganisée, tentez de provoquer un arrêt de jeu. Immobilisez la rondelle le long de la rampe, laissez-vous tomber sur le disque, effectuez un dégagement interdit. Tentez au moins de sortir la rondelle de la zone.
- Si l'adversaire marque, ne cherchez pas de coupable, ne brisez pas votre bâton sur la glace. Demeurez relax.

Maîtriser l'adversaire

Tout joueur de votre équipe peut être appeler à protéger le devant du filet. C'est là que peut se produire toute la différence. Ils marquent ou vous vous emparez de la rondelle et foncez dans la direction opposée. Tôt ou tard, le disque va se retrouver devant votre filet.

Il n'est pas suffisant d'être près de votre adversaire dans la zone de tir. Vous devez toujours savoir où est la rondelle et contenir votre adversaire en fonction de l'origine de la passe ou du tir. Votre tête doit bouger constamment. Regardez la rondelle, puis votre adversaire, puis de nouveau la rondelle.

Lecture du jeu et réaction

Si le disque est dans le coin : demeurez entre votre adversaire et le disque. Cela signifie que vous devez surveiller la passe sans perdre contact avec le joueur dont vous êtes le responsable. Ne le quittez que si vous êtes absolument certain de récupérer la rondelle.

Devant votre filet

Le défenseur marque parfaitement le joueur le plus dangereux, posté directement devant le but. Le gardien s'occupe du tireur.

CONSEIL

Devant le filet, pensez toujours au retour de lancer. Anticipez la direction du rebond et soyez sur la rondelle le premier.

Si le disque est à la pointe : vous devez faire deux choses. Ne quittez pas votre joueur. Sachez quelle direction il veut prendre et bloquez cette direction. S'il voile la vue de votre gardien, poussez-le vers l'extérieur du filet.

Deuxièmement, quand la rondelle s'approche du but, immobilisez le bâton de votre adversaire. Soulevez-le pour empêcher une déviation de la rondelle ou pour empêcher votre adversaire de profiter d'un rebond.

DÉFENSIVE

la zone neutre

CE QUI SE PASSE dans votre zone défensive dépend de ce qui s'est produit dans la zone neutre, celle qui se situe entre les deux lignes bleues. Les problèmes en zone neutre se transforment en occasions de marquer pour l'adversaire.

C'est dans cette zone que les défenseurs intelligents démontrent leurs qualités. En vous repliant rapidement quand votre équipe est débordée à votre ligne bleue, vous nivelez les chances. Si vous revenez rapidement dans le jeu, votre entraîneur en prendra bonne note. En demeurant avec le joueur que vous devez marquer, vous permettez à vos deux défenseurs de se poster à la ligne bleue plutôt que de reculer profondément.

Quand les deux défenseurs contrôlent la ligne bleue, votre équipe peut profiter de deux avantages. Une passe vers l'aile opposée sera interceptée par un défenseur ou un attaquant sera forcé de commettre un hors-jeu. Dans les deux cas, la menace adverse disparaît.

L'équipe adverse est en possession de la rondelle et attaque. Que faire ? Qui possède l'avantage ? L'adversaire profite-t-il d'un surnombre ? Ou est-ce votre équipe ? Ou encore êtes-vous à forces égales ?

Que faire

Même nombre de joueurs : un contre un, deux contre deux, trois contre trois. Choisissez le joueur le plus près de vous et restez avec lui. Si ce joueur est le porteur du disque, faites tout pour qu'il la perde. Protégez toujours le couloir central. Souvenez-vous qu'à forces égales vous détenez toujours l'avantage. Si vous gagnez tous les un contre un, vous gagnez le match.

Surnombre de joueurs défensifs : exercez immédiatement de la pression sur le porteur du disque. Si c'est le joueur qui est le plus près de vous, foncez vers lui. Bloquez sa progression vers le but et ne vous occupez pas de la rondelle.

Contrer une poussée offensive

Deux contre deux. Le défenseur le plus près du disque peut attaquer son adversaire parce que son coéquipier a éliminé le deuxième attaquant.

CONSEIL

Pour vous déjouer, les attaquants vont peut-être tenter de se croiser devant vous. Demeurez avec votre joueur.

Surnombre de l'adversaire : en situation de deux contre un, de trois contre deux ou de trois contre un, tentez de ralentir le jeu en attendant de l'aide. Permettez les mouvements vers l'extérieur, empêchez les passes vers le centre de la glace. Laissez le porteur du disque au gardien. Rappelez-vous bien les deux éléments cruciaux :

- Ralentir le jeu. Prenez la position intérieure entre le jeu et votre filet. Contenez l'adversaire.
- Protéger le centre. Empêchez les passes vers la zone de tir. Le gardien de but s'occupera du tir.

Même quand vous n'êtes pas en possession du disque, il y a un aspect de la poussée offensive que vous pouvez contrôler : c'est la distance qui vous sépare du jeu. En vous rapprochant ou en vous éloignant, vous forcerez le joueur à aller dans une direction précise.

Que faire

Vous jouez serré : vous forcez l'adversaire à tenter de vous déjouer. Jouez serré quand vous êtes à forces égales ou en surnombre, et que vous croyez que le porteur de la rondelle ne peut vous déjouer.
Vous jouez éloigné : en maintenant une certaine distance, vous forcez l'adversaire à se mouvoir latéralement ou à exécuter un jeu. C'est la meilleure façon de jouer en situation de surnombre offensif ou quand votre adversaire contrôle bien la rondelle.

Souvenez-vous : jouer la distance dans la zone neutre, c'est un peu comme décider d'attaquer ou de contenir le porteur de la rondelle, mais dans ce cas, vous analysez et réagissez en fonction d'un jeu qui implique plusieurs adversaires.

Nicolas joue son adversaire serré. Il l'oblige à passer ou à le déjouer.

L'adversaire est en surnombre. Gardez une bonne distance. Ici, Brian est en position pour intercepter une passe vers Kellin.

Jouer la distance

La tête haute

Méfiez-vous toujours de la passe qui traverse la largeur de la glace. Durant une poussée offensive, les joueurs les plus dangereux sont ceux qui sont éloignés de la rondelle.

Quand votre équipe protège bien sa ligne bleue et qu'elle fait de l'échec avant à l'extérieur de la zone défensive, l'attaquant doit choisir entre une passe vers l'autre aile ou projeter la rondelle dans le fond de votre zone. Dans les deux cas, il est possible que votre équipe récupère la rondelle. Une passe transversale à votre ligne bleue peut facilement se transformer en revirement si vous l'avez prévue.

De la défensive à l'offensive

Intercepter une passe d'une aile à l'autre juste à l'extérieur de votre ligne bleue est une des manières de provoquer un revirement dans la zone neutre et de lancer une contre-attaque éclair.

La raison pour laquelle on doit s'appliquer à bien jouer en défensive est de reprendre le disque pour le porter dans l'autre direction. Si vous parvenez à le faire quand vos adversaires patinent à pleine vitesse vers votre zone, c'est encore mieux. Ils se dirigeront alors dans la mauvaise direction.

Dès que vous avez récupéré la rondelle à votre ligne bleue, cherchez un coéquipier qui est légèrement en retard dans son retour. Une passe précise vers ce joueur provoquera probablement une échappée.

N'attendez pas. En premier, pensez à la passe rapide, sinon détalez avec la rondelle en direction du filet adverse.

Transition

L'équipe en bleu vient de perdre la rondelle. Danny, en rouge, analyse bien le jeu et attend la passe.

Scott arrête brusquement et revient sur ses pas ; il lit bien le jeu et se prépare à intercepter une passe en direction de Danny.

Demeurer avec « son » joueur

Si votre équipe perd la rondelle dans la zone neutre, vous vous transformez automatiquement en joueur défensif. N'effectuez pas de long virage. Stoppez et identifiez aussitôt le joueur que vous devez marquer, « votre » joueur. Placez-vous entre lui et la rondelle.

Si votre joueur est le porteur du disque, vous êtes probablement près de lui et êtes en position de l'arrêter. Arrêtez brusquement, retournez-vous et dirigez-vous vers la rondelle. En zone centrale, il est presque certain que vous patinerez dans la même direction que votre joueur. C'est la position idéale pour soulever son bâton à l'aide du vôtre.

Analyse et réaction

Tout ce que vous ferez en défensive dans la zone neutre dépendra de votre analyse du jeu et de votre réaction. La différence, c'est que dans la zone neutre vous voyez l'ensemble du jeu.

Que faut-il savoir ?

- L'équipe adverse est-elle en surnombre ? Si oui, vos coéquipiers sont-ils en train de revenir dans le jeu ?
- L'adversaire attaque-t-il en vitesse en contrôlant bien la rondelle ? Laissez une bonne distance pour demeurer dans le jeu.
- Protégez le centre. Permettez à votre adversaire d'aller vers la rampe et bloquez l'ouverture pour une passe vers le centre.
- Surveillez la longue passe transversale à la ligne bleue. C'est l'occasion pour vous de passer de la défensive à l'offensive en une fraction de seconde.

CONSEIL DE LA LNH

« Les joueurs oublient souvent qu'empêcher l'adversaire de marquer est aussi important que de marquer un but. Dans chaque match, ma première priorité est toujours la défensive. »

MICHAEL PECA

Revirement : les bleus viennent de s'emparer de la rondelle. Scott attend la passe. Danny doit réagir rapidement.

Scott a deux enjambées d'avance. Danny veut revenir à la hauteur de l'épaule de Scott pour l'empêcher de recevoir la passe.

Transition

Être un artiste de la contre-attaque

Ce sont souvent les bons joueurs défensifs qui marquent le but décisif dans un match serré. Le secret pour profiter d'un revirement réside dans une réplique instantanée alors que votre adversaire patine dans la mauvaise direction.

- Si vous avez la rondelle, tournez et cherchez à faire une passe rapide.
- Quand vous constatez le revirement, démarquez-vous pour offrir une cible de passe. Une façon de le faire consiste à croiser rapidement de telle sorte que votre coéquipier qui possède le disque puisse vous apercevoir dégagé.
- Apprenez à capter les passes qui viennent de l'arrière.

BIEN JOUER défensivement est très gratifiant, mais il n'existe pas de plus grand bonheur que de provoquer un revirement dans la zone offensive et de le convertir en but.

C'est ce que vous pouvez faire si vous vous acharnez à effectuer de l'échec avant. C'est alors que votre équipe peut récolter les meilleurs dividendes rapidement. Soyez agressif. Travaillez en puissance. Forcez votre adversaire à déplacer la rondelle plus vite qu'il ne le souhaite. Quand vos adversaires sont pressés fortement, ils cèdent souvent le disque à l'un de vos coéquipiers.

Vos chances de marquer sont meilleures qu'à l'occasion d'une poussée offensive parce que vous prenez l'adversaire par surprise. À un moment ils ont la rondelle et se lancent à l'attaque, quelques secondes plus tard ils regardent la rondelle pénétrer dans leur filet.

en zone offensive

DÉFENSIVE

Orienter le jeu

Comme vous le savez, le joueur qui effectue de l'échec avant profondément en zone offensive attaque la rondelle dans un angle particulier quand il se dirige vers l'adversaire ; il bloque alors un couloir de passe et incite le porteur du disque à passer dans l'autre direction.

Parfois ce dernier va tenter de déjouer son surveillant. C'est l'occasion pour celui-ci de s'emparer de la rondelle. Mais la plupart du temps, le joueur offensif va effectuer une passe.

Exercer de la pression sur la rondelle

Normalement, en échec avant, il faut deux joueurs pour subtiliser la rondelle. Le premier force le jeu, par exemple en venant du centre de la glace vers le coin pour provoquer une passe le long de la rampe.

Ce que vous souhaitez, c'est que le porteur de la rondelle ainsi que vos équipiers sachent dans quelle direction vous voulez forcer la passe. Le deuxième joueur en échec avant lit bien le jeu et se positionne pour intercepter la passe ou le joueur adverse.

Si le second joueur défensif voit son coéquipier venir obliquement du centre de la glace, il sait que la rondelle se trouvera le long de la rampe. Bien analyser ce jeu lui permettra de prendre la position idéale.

La rondelle se retrouve le long de la bande, vous la récupérez et, comme par magie, vous avez une occasion de marquer.

CONSEIL DE LA LNH

« Ce sont les unités spéciales qui décident d'un match. Quand mon équipe est en avance en fin de partie, je suis très fier de contrer un jeu de puissance. »

KELLY BUCHBERGER

L'échec avant requiert un travail d'équipe. Le joueur qui joue profondément force le jeu.

Si vous êtes ce joueur, exercez une forte pression sur le porteur du disque pour l'obliger à s'en débarrasser.

Forcer le jeu

Provoquer un revirement

S'emparer d'une rondelle libre le long de la bande est une manière de provoquer un revirement en zone offensive. En réalité, c'est dans la zone offensive plus que partout ailleurs sur la glace qu'il existe le plus de possibilités de s'emparer de la rondelle.

Dans la zone offensive, tous les avants devraient exercer une pression constante sur le porteur du disque. Si vous ratez votre coup, vous aurez toujours une deuxième chance. Assurez-vous toujours que votre angle d'attaque enlève une option pour le porteur du disque et l'oblige à exécuter la manœuvre que vous souhaitez. Si c'est possible, tentez toujours de fermer le couloir central. Forcez l'adversaire à jouer le long de la rampe. Il est plus facile de maintenir le jeu dans cette zone quand la rondelle est sur les côtés ou derrière la ligne de but.

En exerçant un échec avant soutenu, vous forcez l'adversaire à faire des choix plus rapidement qu'il ne le veut.

Récupérer la rondelle

Le deuxième joueur défensif analyse bien l'angle d'attaque de son coéquipier et anticipe la direction de la rondelle...

...Il se rend dans cette direction tout en cherchant un troisième joueur à qui il pourra effectuer une passe.

Chaque fois que vous effectuez de l'échec avant, vous créez une possibilité de revirement. Ce sera vous ou le deuxième joueur qui récupérera la rondelle. Anticipez !

Finalement, en maintenant le plus longtemps possible le jeu dans la zone adverse, vous pouvez aussi provoquer un revirement. Obligé de jouer rapidement à cause de la pression, l'adversaire cède souvent la rondelle par erreur.

Éliminer son joueur

Dès que votre équipe perd la rondelle dans la zone adverse, ne perdez pas de temps. Repérez « votre » joueur, celui dont vous êtes le responsable. Postez-vous toujours entre lui et la rondelle. En demeurant simplement dans cette position, vous empêcherez ce joueur de participer à la sortie offensive. C'est un peu comme si l'autre équipe se retrouvait en désavantage numérique.

Si votre joueur est le porteur de la rondelle, soyez combatif. Tentez de la lui enlever avant qu'il ne sorte de sa zone. Si vous réussissez, renvoyez la rondelle profondément dans la zone.

Analyser et réagir

L'échec avant en zone offensive est la forme la plus pure de la technique qui combine l'analyse du jeu et la réaction instinctive.

Le premier joueur en échec avant regarde si le porteur de la rondelle la contrôle bien, et réagit en attaquant ou en forçant le joueur à déplacer la rondelle dans une direction précise.

CONSEIL

Pensez toujours à la possibilité d'une passe vers le centre. Intercepter une passe dans le couloir central de la zone adverse est un véritable rêve pour le joueur défensif.

Kellin attend la passe pendant que Nicolas réagit à la perte de la rondelle.

Nicolas rattrape Kellin, qui est en contrôle de la rondelle, tout en cherchant à empêcher qu'il ne passe vers le centre.

Le deuxième joueur défensif regarde dans quelle direction s'effectuera le jeu forcé et se dirige dans cette direction.

N'oubliez jamais d'analyser le jeu pour savoir vers où la rondelle sera dirigée. Réagissez assez rapidement dans cette direction pour compléter le jeu.

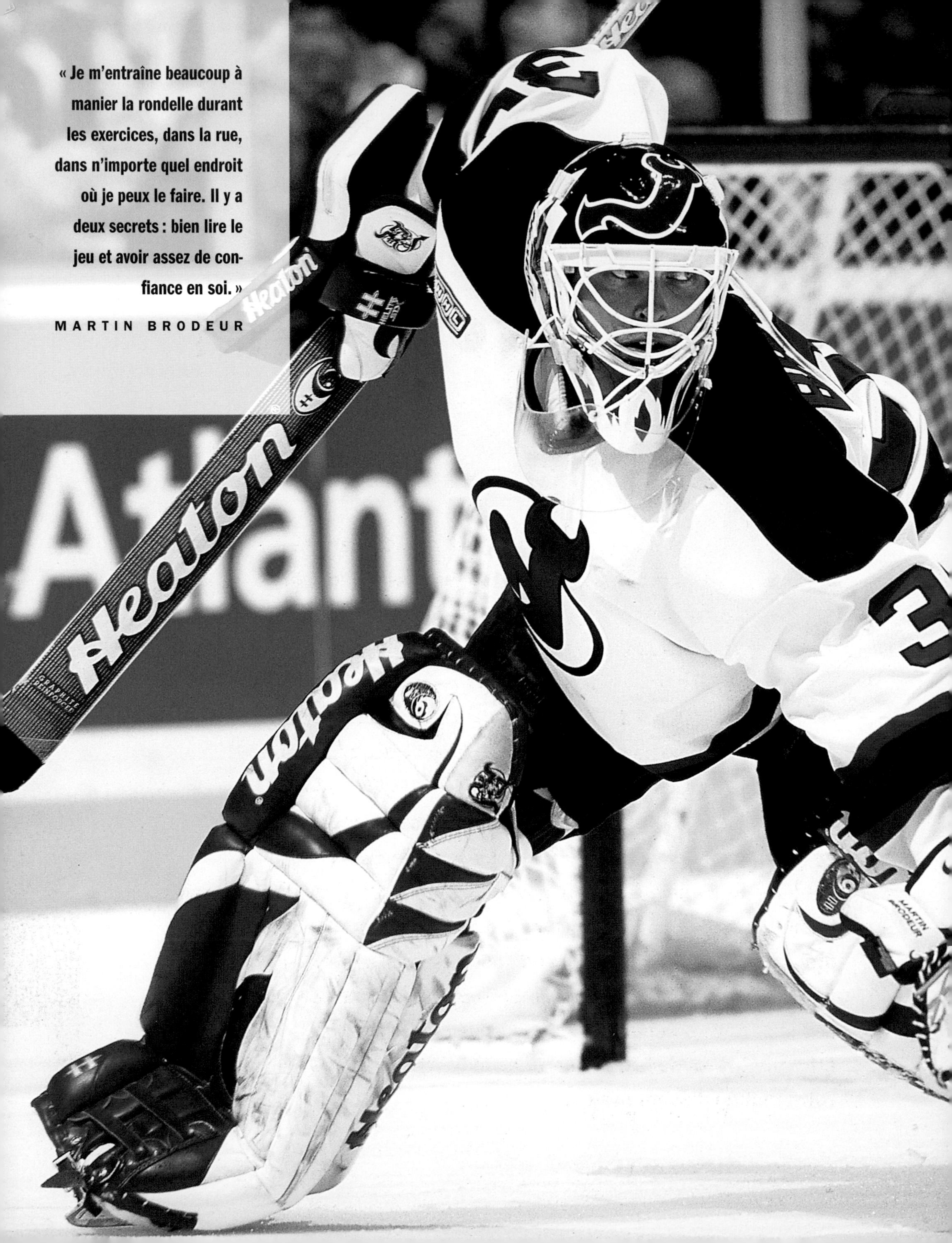

« Je m'entraîne beaucoup à manier la rondelle durant les exercices, dans la rue, dans n'importe quel endroit où je peux le faire. Il y a deux secrets : bien lire le jeu et avoir assez de confiance en soi. »

MARTIN BRODEUR

GARDER LE BUT

JEU BLANC

LE GARDIEN DE BUT vaut ce que vaut sa préparation. Il est trop tard pour se préparer quand arrive la mise en jeu. Les gardiens de but de la LNH vous diront que l'aspect mental du jeu que requiert cette position exigeante est plus important que la façon de se déplacer devant le filet. De très bons athlètes ne parviennent pas à devenir des gardiens de haut niveau. Quand on regarde jouer les gardiens de la LNH, on se demande souvent comment ils font tous ces miracles.

Développez une sorte de rituel, une routine, qui commencera quelques heures avant le match. Ce sont des habitudes que vous répéterez, qui vous détendront et vous prépareront mentalement quand vous sauterez sur la glace pour la période d'échauffement. Souvenez-vous que ce n'est pas la période d'échauffement qui vous rendra prêt à affronter les rondelles. Ce n'est que la touche finale de votre routine d'avant-match.

Concentration

Selon le jugement que vous portez sur votre futur adversaire, vous pouvez peut-être commencer à vous inquiéter plusieurs jours avant le match. Il est bon de vous préoccuper de la qualité de votre jeu, cela signifie que vous êtes sérieux. Il faut canaliser cette énergie et la faire travailler pour vous. Servez-vous-en pour vous concentrer sur le match quelques heures avant le premier coup de sifflet.

Visualisation

Quelques heures avant le match, commencez à vous imaginer en train de faire des arrêts. Voyez ces arrêts dans votre tête. Préparez-vous à l'impact de la rondelle en ressentant cet impact. Vous couvrez bien l'angle, donc la rondelle va vous frapper. Ensuite, tentez d'amplifier les mouvements que vous imaginez. Pensez que vous arrêtez un tir bas dans un coin avec votre bâton et vos patins, que vous pliez bien les genoux quand vous arrêtez le lancer avec votre poitrine. Faites preuve d'imagination pour vous voir dans le match, anticipant les jeux.

Routine d'avant-match

Imaginez-vous en train de faire les gros arrêts : tirs hauts, tirs bas, échappées, feintes.

Présentez-vous tôt à l'aréna. Inspectez votre équipement. Revêtez-le en prenant votre temps.

Préparation

Vous portez plus d'équipement que tout autre joueur, alors prenez tout le temps nécessaire pour le revêtir. Si vous vous pressez, une sangle sous le patin sera mal serrée ou une boucle mal fermée. C'est en jouant que vous le découvrirez. Comme vous serez le premier à sauter sur la glace, soyez toujours le premier à avoir revêtu son équipement.

Échauffement

Travaillez dur durant la période d'échauffement. C'est le moment de vous installer dans un rythme, dans un état détendu qui vous préparera aux deux contre un et aux échappées dès le premier coup de sifflet. Préparez-vous pour les deux. Certains gardiens écoutent de la musique rock avant un match. Trouver votre rythme est fondamental si vous voulez gagner.

Conseils pour l'échauffement

- Vos coéquipiers doivent commencer par des lancers faciles dirigés vers les jambières. Puis ils commenceront à viser bas dans les coins.
- Il est ridicule d'effectuer des tirs hauts durant la période d'échauffement. C'est votre échauffement, pas celui des tireurs qui veulent défoncer les baies vitrées. Souvent les joueurs qui tirent haut pensent qu'ils échauffent vos mains ; or, ce ne sont pas vos mains qui ont besoin de s'échauffer, ce sont vos pieds. Aucun gardien qui saute sur la glace n'est encore prêt à arrêter les tirs avec ses patins. Or, c'est là qu'aboutiront la majorité des tirs.

CONSEIL DE LA LNH
« Une partie importante de mon échauffement consiste en des étirements intensifs. Cela détend mon corps et prévient les étirements musculaires. »
GRANT FUHR

Des tirs faciles au début. Appliquez-vous durant l'échauffement. Regardez la rondelle dans votre mitaine.

Concentrez-vous sur la rondelle au début. Réagissez en fonction d'elle, suivez-la, puis commencez à travailler sur le contrôle des rebonds. Soyez le meneur du jeu.

- Ne permettez pas plusieurs tirs en même temps. Limitez le nombre de rondelles sur la glace.
- Attendez d'être échauffé pour laisser vos coéquipiers tenter de vous déjouer. Si vous le faites trop tôt, vous risquez de vous blesser à l'aine.

DURANT UN MATCH, vous ne pouvez réfléchir à chaque geste. Tout doit être instinctif. Vous voyez la rondelle, vous l'arrêtez. Aussi simple que cela.

Pour que vos mouvements se transforment en réflexes, vous devez les répéter jusqu'à ce qu'ils deviennent une seconde nature. Certains gardiens n'aiment pas les exercices – pourquoi souffrir si ça ne rapporte pas de points ? Voici pourquoi il faut le faire. Vous n'avez pas le temps de réfléchir quand la rondelle est à vos pieds et que le résultat du match est en jeu. On dit souvent dans le sport qu'on fait sa chance. Les arrêts importants *paraissent* parfois chanceux, mais telle est votre manière de vous entraîner, telle sera votre manière de jouer.

Une fois le match commencé, cessez de penser et réagissez. Arrêter la rondelle est votre seule tâche dans la vie.

au cœur du jeu

GARDER LE BUT

Position de base

Tous les mouvements du gardien de but se font à partir d'une position immobile et debout. Si votre position de base n'est pas bonne, il vous sera difficile ou impossible d'exécuter le bon mouvement. Par exemple, si cette position ne vous permet pas de maintenir la palette de votre bâton à plat sur la glace, vous allez allouer des buts faciles peu importe ce que vous ferez.

La technique

Quel que soit votre style, vous devez être dans une bonne position et au bon endroit avant que la rondelle arrive. C'est bien beau de faire le grand écart ou d'étendre le bras de la mitaine, mais ces deux mouvements disent que vous étiez hors position.

Vous devez être aussi massif que possible devant le filet. Cela signifie faire face à la rondelle, en ligne avec le tir, votre palette à plat sur la glace. La plupart des problèmes des gardiens de but sont causés par des erreurs dans ces trois aspects.

CONSEIL
La plupart des buts sont marqués quand le gardien est hors d'équilibre.

Nombreux sont les gardiens qui jouent trop accroupis à la taille. Pliez légèrement les genoux et tenez le haut du corps droit pour que la rondelle puisse le frapper.

Votre position doit être détendue. Pliez les genoux pour maintenir la palette du bâton sur la glace.

Vos plus grosses pièces d'équipement sont vos jambières et le plastron qui protège le haut du corps. Votre position de base doit rendre le plus efficace possible ces protections. Pensez à la position assise sur une chaise : il n'y a pas de chaise ici, mais le bas des jambes et la poitrine sont presque verticaux. C'est là que vous stopperez le disque. C'est la meilleure façon de couvrir le plus d'espace. Mais cette position étire les muscles des cuisses.

Aide-mémoire pour la position

Les autres aspects de la position de base dépendent de votre style. Essayez quelques-uns de ces trucs :

- Améliorez votre équilibre latéral en maintenant vos deux mains à la même hauteur.
- Souvenez-vous que tous les lancers partent de la glace. Plus le tireur est près, plus le tir risque d'être bas. Il est aussi plus facile de lever votre mitaine que de l'abaisser.
- Gardez toujours vos deux gants devant vous. Cela vous permettra de bien voir la rondelle après l'avoir captée et de la garder toujours devant vous. Le tireur aura aussi l'impression qu'il y a peu d'ouverture entre vos bras et votre corps, et, ainsi, que vous êtes plus difficile à déjouer.
- On reconnaît un bon gardien à son économie de mouvements. C'est la rondelle qui le trouve, comme on dit que la rondelle trouve les bons marqueurs. C'est simplement une question d'angles.

Position

Les deux gants à la même hauteur assurent un meilleur équilibre.

Quand vos gants sont devant vous, les ouvertures entre le corps et les bras se referment, et il vous est plus facile de voir la rondelle après l'avoir captée.

CONSEIL

En position de base, ne vous penchez pas vers l'avant à partir de la taille. Pliez les genoux, pas les hanches. Gardez le dos droit le plus possible.

- Félix Potvin rappelle que les gardiens qui jouent en papillon doivent quand même bien jouer les angles. Ils couvrent une plus grande surface, mais quand ils sont à genoux, ils ne peuvent se déplacer aussi facilement.
- Positionnez bien votre coude du côté du bâton quand la palette repose à plat sur la glace, à la fois en position debout et en position papillon. Patrick Roy veillait toujours à tenir ses mains hautes quand il était à genoux.

GARDER LE BUT

le jeu de pieds

QUAND IL FAIT FACE au tireur, le gardien couvre la plus grande partie du filet. Se trouver sur la trajectoire que la rondelle doit suivre pour pénétrer au centre du but s'appelle « jouer les angles ».

Tout le jeu du gardien repose sur son positionnement. Vous devez savoir où ira la rondelle avant que le tir soit effectué et l'attendre en position de base. Autrement dit, vous devez anticiper le jeu. Jouer les angles comporte deux aspects : les mouvements latéraux et les déplacements vers l'avant ou l'arrière. Mais quel que soit le mouvement, la clé du succès consiste à conserver la position de base.

Rien n'est facile pour un gardien, mais réussir à vous déplacer dans tous les sens tout en faisant face au tireur et en maintenant votre position fera certainement de vous un gardien de but fiable.

Le gardien de but est le joueur le plus important de son équipe. Aucune autre position ne requiert une aussi bonne analyse du jeu et un réaction aussi rapide. Pour le gardien, le jeu de pieds, le contrôle des carres et l'agilité sont fondamentaux. Comme gardien, vous pouvez avoir recours à plusieurs styles, mais peu importe votre choix, voici quelques techniques à maîtriser.

Positionnement

Vous ne pouvez stopper la rondelle si vous êtes au mauvais endroit. Le positionnement comporte trois aspects :

- Votre angle, ce qui veut dire vous trouver sur la trajectoire qui mène de la rondelle au centre du filet.
- Votre distance par rapport au filet sur cette ligne.
- Votre équilibre.

Chacun de ces aspects est important, mais le plus vital, c'est l'angle. Même si vous avez une bonne main comme on dit, elle est complètement inutile si vous ne pouvez rejoindre la rondelle.

Jeu de pieds du gardien

Tory est sur la trajectoire de la rondelle. Il peut arrêter tout tir vers le filet.

En traçant un C dans la glace avec la carre avant de son patin droit, il revient vers l'intérieur du filet.

À partir du poteau où il est revenu, Tory se déplace vers sa droite en effectuant une poussée en T.

Une fois installé sur la ligne de tir, vous avancez ou reculez en fonction de la position du tireur. Pour les tirs de la pointe, avancez-vous à la limite de votre zone réservée. Au fur et à mesure que le tireur avance vers vous, retirez-vous dans le filet pour neutraliser toute feinte.

Même les adeptes du style papillon passent la plus grande partie du temps sur leurs pieds. Tenez-vous sur l'avant de vos carres intérieures et maintenez l'équilibre. Quand vous reculez, pliez bien les genoux pour que la palette de votre bâton demeure bien à plat sur la glace. Pour les déplacements latéraux, la largeur de vos pieds doit dépasser celle de vos épaules.

« Les déplacements et le jeu de pieds sont la clé du succès dans le positionnement. Exercez-vous à bouger d'un poteau à l'autre, puis en avant sur la ligne de tir et vers l'arrière ensuite. Faites-le chaque fois que vous êtes sur la glace. »

ROBERTO LUONGO

Avancer et reculer

Quand la rondelle est loin du filet, sortez de votre but. Quand elle se déplace vers un côté, revenez vers le filet de ce côté. Si un attaquant seul se présente sur l'aile, avancez pour le défier. S'il ne tire pas, retournez vers le filet au moment où il franchit le centre du cercle de mise en jeu au cas où il tenterait de vous déjouer. Imaginez que vous êtes attaché par de gros élastiques à vos poteaux. Bougez avec le jeu. C'est la rondelle qui commande vos mouvements.

La technique

Un gardien bouge en effectuant de petits mouvements des chevilles et des pieds. Voilà pourquoi les gardiens doivent aussi être agiles sur leurs patins. Ils doivent se déplacer aussi rapidement que les autres joueurs, mais sans pouvoir utiliser leur corps comme levier. Toute la puissance provient du bas des jambes.

Ian Young, un entraîneur de gardiens de but respecté, parle de télescope quand il explique ce mouvement de va-et-vient. En sortant plus loin de votre but, vous devenez plus gros et fermez une plus grande partie du filet.

Kendall est en bonne position et couvre bien ses angles. Elle protège ainsi une large partie du filet en demeurant dans sa zone...

...mais elle ferme presque toutes les ouvertures quand elle sort de sa zone en ligne droite avec la rondelle. Pour l'attaquant, il ne reste que les lucarnes.

C O N S E I L

Sortez du filet pour arrêter le tir, rentrez pour jouer la feinte.

Comme dans toutes les règles, il y a une exception. Si un joueur adverse apparaît d'un côté ou de l'autre, vous devez tricher un peu en retraitant dans le filet : exagérez l'angle du côté du porteur du disque. Parfois les gardiens doivent faire deux choses en même temps. Concentrez-vous sur le porteur du disque, sans vous laisser distraire, et demeurez en ligne avec la rondelle. Arrêter la rondelle est votre principale tâche, mais soyez prêt à réagir à une passe.

Mais que faire si la rondelle se déplace latéralement ?

Vous devez bouger avec elle. Il y a quatre façons de se déplacer entre les poteaux du but : deux mouvements se font debout et deux autres sur la glace. Quand on se déplace debout, on utilise généralement la poussée en T ou les pas de côté. Demeurez debout quand la rondelle est encore à l'extérieur du point de mise en jeu. Plus le tireur ou la passe devant le but sont proches, plus vous devez vous déplacer rapidement. C'est le moment de glisser sur la glace.

La poussée en T

Le moyen le plus facile pour se déplacer latéralement est la poussée en T. Pointez votre patin dans la direction choisie et effectuez une poussée avec le devant de la carre intérieure de l'autre patin. Transférez votre poids sur le patin qui glisse. Gardez les genoux pliés, ce qui vous permettra de conserver votre position de base, de produire une meilleure extension et de maintenir la palette du bâton sur la glace. Cela vous permettra aussi d'arrêter exactement là où vous le désirez. Apprenez à vous rendre d'un poteau à l'autre en effectuant une seule poussée.

C O N S E I L

L'attaquant a décidé de vous déjouer et vous avez allongé votre jambière sur la glace du côté qu'il a choisi. Relevez légèrement cette jambière. Il sera plus difficile pour l'attaquant de soulever la rondelle au-dessus de la jambière et il en résulte souvent un rebond vers l'extérieur.

Tory exécute une poussée en T vers le côté de son bâton. La jambe d'attaque est tournée, pointant dans la direction désirée.

Pas de côté. Ici Tory effectue de grands pas de côté tout en conservant sa position de base.

La palette du bâton ne quitte pas la glace. Un pas de plus et il a rejoint le poteau opposé.

Se déplacer debout

Les pas de côté

Quand le disque est près de vous, faites des petits pas de côté. Ils vous permettront de conserver votre position de base durant tout le déplacement. Les patins pointent vers l'avant. Faites un petit pas avec un patin, puis ramenez l'autre patin vers le premier. Répétez autant de fois qu'il le faut. Gardez les genoux bien fléchis. Demeurez en ligne avec le disque.

Quand la rondelle passe devant le filet, vous devez glisser rapidement d'un poteau à l'autre. Il y a deux techniques. En superposant les deux jambières ou en exécutant une manœuvre de papillon. Quand le mouvement est complété, le bas du filet est à peu près fermé.

Jambières jointes

Joindre ses jambières est une bon moyen de contrer une passe vers le côté ouvert du filet. Le receveur de la passe fera face à un véritable mur de jambières. Ce sera un arrêt déterminant.

La technique

Le déplacement commence par une poussée en T effectuée avec le devant de la carre intérieure du patin arrière. Pliez les deux genoux pour que la jambière de votre jambe arrière soit sur la glace au moment où le haut de votre corps penche vers l'arrière. Pliez la jambe avant et étendez-la à travers l'embouchure du but. Quand le

Glissades

Tory amorce le mouvement par une poussée en T, étirant complètement sa jambe arrière.

Les genoux sont pliés et la jambière arrière glisse sous le corps.

Les deux jambières sont superposées. Le gant est au-dessus pour donner plus de hauteur au mur. Le bâton est sur la glace pour intercepter une passe en cas de retour.

genou et la hanche arrière se posent sur la glace, glissez la jambière arrière sur la glace pour qu'elle s'installe sous la jambière avant.

À la fin du mouvement, les deux jambières devraient être superposées. La jambière du haut devrait être légèrement en avant pour stopper un tir montant ou dévié.

Complétez le mouvement en plaçant votre bras au-dessus des jambières pour dresser un mur plus efficace. Si c'est du côté de la mitaine, vous êtes prêt à capter un tir dirigé plus haut que le mur. Si c'est la main qui tient le bouclier, vous disposez d'une surface supplémentaire de 480 cm² (75 pi²) pour stopper la rondelle. Étendez la main inférieure droit devant le corps le long de la glace pour intercepter un rebond ou une passe.

Glissade en papillon

Ce ne sont pas tous les jeunes gardiens qui peuvent effectuer une glissade en papillon, car il faut de la force et de la flexibilité. Plus vous êtes corpulent, plus ce mouvement est efficace. Mais si vous êtes capable de réussir cette glissade, c'est un bon moyen de vous déplacer dans l'embouchure en un seul mouvement. De plus, vous pouvez conservez vos yeux sur le disque beaucoup plus facilement que lorsque vous collez vos jambières.

La technique

Comme dans la poussée en T, votre patin arrière est parallèle à votre corps. Étirez la jambe dans la direction souhaitée et donnez une forte poussée avec le devant de votre patin arrière. Abaissez rapidement votre jambière avant et glissez vers le poteau opposé. Ramenez le plus rapidement possible la jambe arrière pour fermer l'ouverture entre les jambières.

Le truc, c'est de demeurer compact. Pressez vos bras le long du corps et fermez l'ouverture entre les jambières. Terminez en posant la palette de votre bâton devant cette ouverture ou avancez le bâton pour couvrir une plus grande surface.

CONSEIL

Gardez le haut du corps droit quand vous glissez en papillon. Vous vous jetez sur la glace et donc découvrez le haut du filet. En gardant le corps droit, vous fermez en partie le haut du but.

Donnez une forte poussée à partir du poteau en gardant la jambière avant en ligne avec le tireur.

Les deux jambières de Tory sont presque à plat sur la glace, fermant les ouvertures sauf une...

...qu'il referme en ramenant la jambière arrière. Il demeure compact et le haut du corps droit.

« Si je peux jouer autant de matchs, c'est que je me maintiens en forme. Je fais attention à mon corps. Le secret, c'est de posséder des jambes fortes et un tronc solide, et d'éviter les blessures à l'aine et à l'estomac qui affligent souvent les gardiens. »

OLAF KOLZIG

GARDER LE BUT

analyser et réagir

POUR DEMEURER dans le jeu, il faut bien le connaître et observer tout ce qui se déroule sur la glace. Vous voyez le jeu beaucoup plus que tous vos coéquipiers. Il faut donc les aider. Prévenez-les des dangers ou des avantages qu'ils détiennent.

Grant Fuhr a déjà dit qu'il suffisait de deux erreurs pour produire un but. Une de ces erreurs est celle du gardien. Prenez votre part de responsabilité.

Vous êtes le seul joueur présent sur la glace durant tout le match. Vous devez être un leader et donner l'exemple. Félicitez les joueurs qui se comportent bien, prenez vos responsabilités quand le jeu se déroule mal.

Et surtout, soyez cool.

La règle du surnombre

Quand l'adversaire traverse la ligne bleue, vérifiez si votre défensive fait face à un surnombre.

Dans une situation de deux contre deux ou trois contre trois, avancez-vous à la limite de votre zone et faites face au porteur du disque. Quand on joue à forces égales dans votre zone, les possibilités de passe diminuent.

Si l'adversaire est en surnombre, anticipez la passe. Demeurez à l'intérieur de votre zone.

Une attention constante

Demeurez attentif en bougeant pour suivre la rondelle, même si elle est à l'autre extrémité de la glace. Déplacez-vous latéralement, et aussi en avant ou en arrière. Imaginez que vous êtes relié au disque par un lien invisible. Certains gardiens se concentrent sur la rondelle même durant les arrêts de jeu.

Dans votre zone

Deux contre un. Préoccupez-vous du tireur, mais attendez-vous à une passe. Ne sortez pas trop du filet.

Avant de sortir du filet, soyez certain que la rondelle fera le tour de la rampe.

Sortez de votre zone en position accroupie ou en position de base quand l'adversaire traverse la ligne rouge avec la rondelle. Mais il ne faut pas vous installer dans cette position. Attendez encore un peu.

Surveillez l'attaquant pour voir s'il tente de lancer la rondelle le long de la rampe dès qu'il a dépassé la ligne rouge. C'est seulement si vous anticipez cette tactique que vous pourrez vous rendre derrière votre filet assez rapidement pour intercepter la rondelle et la remettre à l'un de vos défenseurs.

Les tirs le long de la rampe

L'attaque adverse peut mourir dans l'œuf si vous réagissez rapidement quand l'attaquant lance la rondelle dans le fond de votre zone.

Essayez d'intercepter le disque en patinant derrière votre filet du côté d'où vient le dégagement. Revenez du même côté, de façon à éviter d'entrer en collision avec vos défenseurs.

Pendant que vous tournez vers l'arrière du filet, ne perdez pas le disque de vue. Si la glace est en mauvais état près de la bande, la rondelle peut dévier vers l'avant du but. Soyez prudent.

Regardez des deux côtés en vous dirigeant vers l'arrière du but. Si un adversaire semble se diriger vers vous, faites le jeu vous-même. Lancez le disque vers la baie vitrée le plus haut possible.

Pour intercepter la rondelle du côté du bâton, faites face à la rampe et stoppez la rondelle avec l'arrière de la palette.

Il est plus facile de fermer l'arrière du but du côté de la mitaine. De ce côté, vous pouvez presser votre corps contre la rampe et utiliser le bout de la palette pour récupérer la rondelle. Gardez-la à 30 centimètres (12 po) de la rampe.

Avertissement : soyez absolument certain que la rondelle va faire le tour de la rampe avant de quitter votre filet. Ne soyez pas téméraire en sortant trop rapidement. Il est préférable de rater la rondelle derrière le but que de voir un adversaire se présenter devant un filet déserté.

CONSEIL

Quand vous n'êtes pas dans le filet durant un exercice, patinez toujours avec une rondelle. Répétez les mêmes techniques de maniement du bâton et de la rondelle que tous les autres joueurs.

Rondelle sur la glace du côté droit : le gardien de but droitier l'intercepte avec son bâton.

Rondelle haute le long de la rampe : appuyez le haut du corps contre la rampe pour bloquer la rondelle.

Rondelle du côté gauche : facile pour un gardien droitier. Dégagez la rondelle de la rampe.

Le long de la rampe

Deux contre un

Prévenez vos défenseurs : « deux contre un ! »

Deux choses peuvent se produire. Le porteur de la rondelle passera ou tirera. Vous êtes responsable du tir. C'est le défenseur qui s'occupe de la passe. Tant mieux si vous devinez que le porteur du disque va passer. Mais tant qu'il ne l'a pas fait et qu'il se dirige vers vous, restez concentré sur lui. N'anticipez pas, tout en demeurant conscient du deuxième joueur adverse.

Réagissez dès que la passe est exécutée. Ce que vous ferez dépendra de la distance entre vous et celui qui capte la passe.

Passe éloignée : si la passe est hors de portée pour vous, effectuez une poussée en T vers l'autre côté en demeurant debout.

Passe rapprochée : si la rondelle est près de vous, tentez de dévier la passe. Sinon, collez vos jambières et effectuez une glissade vers le poteau éloigné.

Contrer une poussée offensive

Lors d'un deux contre un, le gardien s'occupe du porteur du disque. La responsabilité de la passe revient au défenseur.

Au moment où la passe est effectuée, déplacez-vous latéralement et, idéalement, demeurez debout.

CONSEIL

Concentrez-vous toujours sur le porteur du disque. En forçant celui-ci à passer, il y a une chance que l'adversaire commette une erreur.

Si la passe est très rapprochée, poussez avec votre jambière inférieure avant que le joueur puisse rediriger la rondelle. N'y réfléchissez pas. Coller vos jambières doit être une réaction instinctive.

Trois contre un

Assurez-vous que c'est vraiment un trois contre un. Un de vos joueurs se replie-t-il assez rapidement pour annuler cet avantage ? Sinon, criez : « trois contre un ! » Demeurez profondément dans votre filet. Jouez le porteur du disque mais sans agressivité. Réagissez à la passe comme dans une situation de deux contre un et essayez toujours de rester debout.

En cas d'échappée

En situation d'échappée, c'est le porteur du disque qui subit toute la pression. Pour le gardien, l'important est de bien lire le jeu et d'avoir la bonne réaction. Un bon indice réside dans l'endroit où se trouve la rondelle. Si le porteur du disque la contrôle de côté, il y a de bonnes chances qu'il tire. Si elle est devant lui, anticipez une feinte.

En premier, pensez à un tir. Placez-vous à l'extérieur de la zone réservée au gardien bien en ligne avec la rondelle. Enlevez à l'attaquant l'option de tirer, forcez-le à tenter de vous déjouer. S'il vient de côté, plus il est près de vous, plus il faut vous préparer à un tir du poignet. Surveillez le repli du défenseur qui peut fermer un des côtés à l'attaquant.

Dès qu'il est à trois mètres (10 pi) de vous, la rondelle encore devant lui, il doit tenter de vous déjouer et vous avez l'avantage. Ne bougez pas lors de la feinte. Forcez l'attaquant à faire un geste d'un côté ou de l'autre.

CONSEIL DE LA LNH
« Lors d'une échappée, je pense à la position de l'attaquant. Quand il se rapproche, j'évalue sa vitesse et patiente le plus longtemps possible. »
CURTIS JOSEPH

Sortez bien du filet pour empêcher l'option du tir. Pas trop loin cependant, il faut être capable de revenir.

L'attaquant avance en position de tir. Ne bougez pas.

Il tente une feinte. Attendez que son choix de jeu soit évident, puis réagissez.

Échappée

Dès que l'attaquant a choisi son côté, réagissez mais sans exagération. Souvent l'adversaire cherche à glisser la rondelle entre vos deux jambières quand vous avez écarté les jambes pour vous déplacer latéralement. Maintenez la palette de votre bâton sur la glace entre les jambières. Selon votre style, utilisez votre jambière ou votre patin. Gardez votre mitaine en position au cas où l'attaquant soulèverait rapidement le disque.

Le secret pour ne pas être déjoué en bougeant latéralement consiste à placer la jambière du côté de la feinte très rapidement sur la glace. Si vous pouvez le faire puis relever un peu la jambière, c'est encore mieux. Neutraliser une échappée peut décider du match. Rien n'est plus satisfaisant.

Tirs de la pointe

La manière de jouer les tirs de la pointe dépend de la façon dont le jeu se déroule autour de vous. Vous devez jouez à l'intérieur s'il y a un attaquant à découvert à l'embouchure. Dans ce cas, vous devez être le plus près possible de ce joueur pour enrayer toute possibilité de déviation du disque.

Analysez le jeu quand l'adversaire s'est installé dans votre zone, comme dans une situation de désavantage numérique. Autant que possible, demeurez debout et laissez la rondelle vous trouver.

Mises en jeu

Soyez prêt à tout. Quelles sont les forces de votre coéquipier chargé de la mise en jeu ? L'adversaire peut-il effectuer un tir du poignet dès la mise en jeu ?

Dans votre zone

Avancez-vous bien pour faire face à un lancer de la pointe. Couvrez la plus grande partie de filet possible...

...jusqu'à ce qu'un autre attaquant surgisse près de vous. Vous devez toujours vous concentrer sur le tireur, mais en reculant légèrement vers l'intérieur du filet. Il faut empêcher cet autre joueur de s'installer derrière vous et de faire ricocher facilement la rondelle dans le filet.

La plupart du temps, le joueur de centre va tenter de relayer la rondelle à un coéquipier posté dans la zone de tir. Sa manière de tenir son bâton peut vous en dire long sur ses intentions.

- Si sa main basse est renversée, il tentera de diriger la rondelle en arrière.
- Si sa prise est normale et de son côté naturel, attendez-vous au tir.

Vérifiez bien votre équipement durant les arrêts de jeu. Assurez-vous que les courroies des jambières soient bien serrées. Dites à l'arbitre que vous n'êtes pas prêt. Surveillez le centre adverse avant que l'officiel laisse tomber la rondelle pour savoir de quel côté il tire. Entendez-vous avec votre joueur de centre avant la mise en jeu. Puis concentrez-vous entièrement sur la rondelle.

Contournement du filet

Quand un joueur adverse contrôle la rondelle derrière le but, ne quittez pas votre position de base. Ne vous retournez pas. Regardez par-dessus votre épaule.

Pour vous déplacer vers l'autre poteau, effectuez une poussée en T et rentrez la pointe de votre patin avant vers l'intérieur pour que la rondelle ne puisse entrer dans le filet en ricochant sur la lame du patin. Posez votre bâton devant vous à l'extérieur du poteau et tenez la palette ouverte pour qu'elle ne soit pas parallèle à la ligne de but. Vous empêcherez ainsi le porteur du disque de se servir de cette palette pour dévier la rondelle dans le but. Quand la palette a complètement dépassé le poteau, placez-la directement face au porteur du disque.

Durant votre mouvement latéral, la palette doit être devant vous. Vous pouvez empêcher une passe juste en déposant la palette à l'extérieur du poteau avant que vous ne l'ayez rejoint.

CONSEIL

Ne quittez pas le poteau avant d'avoir perdu de vue la rondelle qui passe devant vous.

Kendall attend, la lame de son patin bien pressée contre le poteau, alors que Will surgit de l'arrière. Il n'a aucune chance...

Il fait donc une autre tentative de l'autre côté, mais Kendall est déjà là, prête à harponner la rondelle.

Dans votre zone

Aide-mémoire pour le jeu dans votre zone

- Si vous perdez la rondelle de vue, accroupissez-vous. Vous verrez mieux entre les jambes qu'entre les corps.
- Quand votre équipe perd la mise en jeu, avancez-vous légèrement dans la direction du porteur du disque à moins que le centre adverse ne tire immédiatement sur vous.
- Vos coéquipiers courent-ils après la rondelle ? Gardez votre calme. Ils ont besoin de vous plus que jamais.
- Remerciez vos joueurs défensifs après de beaux jeux. Personne d'autre ne les remarque.

Éviter les rebonds sur le bouclier

Voilà une aptitude qui est presque disparue du hockey moderne : récupérer la rondelle avec sa mitaine après un arrêt avec le bouclier.

La technique

Posez votre mitaine, paume vers le haut, près du bouclier pour que la rondelle y tombe après l'avoir heurté. Vous éliminez un retour de lancer et pouvez obtenir une mise en jeu. Pour réussir cette manœuvre, il faut que vous arrêtiez la rondelle en tenant votre bouclier bien verticalement. Cette position exige que vous teniez votre coude haut et devant vous, ce qui est de toute manière une bonne idée. Si vous voulez que le jeu se poursuivre, vous pouvez, de votre mitaine, déposer le disque là où vous le désirez.

Si vous voulez éviter le passage de la rondelle d'un gant à l'autre, laissez la rondelle frapper le bouclier et emprisonnez-la avec la mitaine. Demeurez en équilibre.

Rebonds

Limitez les retours de lancer. Emprisonnez la rondelle sur votre bouclier ou laissez-la tomber dans la mitaine. Retenez-la pour obtenir une mise en jeu.

Une fois que vous avez saisi la rondelle, obtenez un arrêt de jeu en vous déplaçant vers un adversaire près du filet.

Obtenir un arrêt de jeu

Une fois que vous avez soigneusement récupéré la rondelle, il est possible que votre équipe ait besoin d'une pause. Mais il n'y a aucun joueur adverse près de vous et l'arbitre attend que vous remettiez la rondelle sur la glace.

La rondelle bien enfouie dans la mitaine, dirigez-vous près de l'attaquant le plus proche. Souvent, c'est lui qui se présentera à vos côtés. C'est un bon prétexte pour retenir la rondelle. La plupart du temps, l'arbitre sera d'accord et accordera une mise en jeu plutôt qu'une pénalité pour avoir retardé le jeu.

Être un leader

Vous êtes le seul joueur dans l'équipe qui voit l'ensemble du jeu. Aidez vos joueurs quand un danger se présente ou qu'une ouverture se crée qu'ils distinguent mal. Si vous aidez votre équipe à demeurer organisée dans votre zone, cela augmentera la confiance et démontrera que vous participez activement au jeu. Souvenez-vous cependant que vous criez à travers un masque. Soyez positif et parlez simplement. Soyez en alerte mais jamais agité.

- Quand un de vos joueurs contrôle la rondelle et qu'un adversaire se dirige vers lui sans qu'il le voie, criez : « Attention ! »
- Quand deux joueurs se précipitent sur un de vos coéquipiers, criez : « Ils sont deux. »
- Quand un de vos joueurs vous obstrue la vue, criez : « Bouge ! »
- Criez quand votre défensive fait face à un surnombre à la ligne bleue. Par exemple : « Deux contre un ! » ou « Trois contre un ! »

Participer au jeu

Ne vous contentez pas d'annoncer les mauvaises nouvelles.

- Quand un de vos joueurs contrôle la rondelle et a le champ libre mais qu'il ne voit pas ce qui l'entoure, criez : « C'est ouvert ! »
- Un coéquipier se replie pour récupérer une rondelle perdue en tournant le dos au jeu. S'il n'est pas menacé par un joueur adverse, criez : « Prends ton temps ! »
- Souvent l'adversaire se débarrassera de la rondelle pour effectuer un changement de joueurs. Il faut que votre équipe le sache. Criez : « Changement de ligne ! »
- Observez l'officiel le plus éloigné qui signale les dégagements illégaux. Criez à vos coéquipiers : « Hors jeu ! » ou, plus important encore : « Allez-y ! »
- Faites en sorte que votre équipe sache quand une pénalité est près d'expirer. Frappez la glace de votre bâton quand il reste cinq secondes. Criez le nom du joueur qui est le plus près du banc des pénalités.

CONSEIL DE LA LNH

« Souvent le gardien de but doit être les yeux de ses défenseurs. Une façon de le faire consiste à leur dire quoi faire de telle sorte qu'ils puissent exécuter le jeu qui permettra de dégager la zone. »

RON TUGNUTT

Communication

Demeurer un gentleman

Il est aussi avantageux de bien communiquer avec les officiels. Quand ils vous complimentent après un bel arrêt, remerciez-les. Dites-leur quand vous pensez qu'ils ont pris une bonne décision. Souvent ils vous expliqueront comment ils gèrent le match et quelle liberté ils laissent aux joueurs. Ce sont des informations importantes.

Après le match, parlez avec vos adversaires. Montrez du respect et félicitez-les. De toute l'équipe, vous êtes le mieux placé pour apprécier le talent de l'adversaire. Si le match a été serré, ils méritent autant de compliments que votre équipe. Se serrer la main après un match démontre qu'on est un bon sportif.

Bon, cela va vous arriver certainement un jour ou l'autre. Vous avez bien suivi votre routine d'avant-match, fait vos exercices de visualisation, bien travaillé durant la période d'échauffement, mais quand la mise en jeu survient, vous êtes paralysé. Or, il y a des signes qui indiquent si vous n'êtes pas prêt avant que ça ne se traduise négativement sur le tableau de pointage.

Que faire

- Quand la transpiration du haut du corps refroidit, c'est que vous vous reposez depuis trop longtemps. Engueulez-vous un peu. Pas seulement en pensée, mais à voix haute. Dites-vous que vous dormez, qu'il est temps de vous réveiller. Trouvez une phrase courte en forme de motivation : « Ils n'auront rien. » ou « Réveille, ça commence. » Ce que vous dites importe peu, c'est la répétition qui est importante.
- Concentrez-vous sur le disque où qu'il soit.
- Bougez entre les tirs. Vérifiez votre équipement. Faites le tour du filet. Ne vous inquiétez pas de ce qu'on pensera. Vous aurez l'air plus idiot quand vous retirerez la rondelle du filet après un but.
- Même lors des jeux de routine, jouez la rondelle et prenez la bonne décision. Appliquez-vous à bien faire les petites choses.

C'est dans la tête

CONSEIL

Ne ruminez pas le passé. Allez de l'avant. Soyez dans le présent. L'arrêt le plus important est toujours le prochain.

Aide-mémoire d'attitude mentale

- Communiquez-vous bien avec vos défenseurs ? Si vous êtes renfermé dans votre coquille, vous n'êtes pas dans le jeu.
- Jusqu'à maintenant, avez-vous été chanceux ? Rappelez-vous que les adversaires ne frapperont pas les poteaux durant tout le match.
- Savez-vous combien de temps il reste à jouer ?
- Restez-vous debout sans rien faire pendant que la rondelle est à l'autre bout de la glace ou vous tenez-vous occupé ?

Vous êtes battu

Votre manière de réagir après un but marqué contre vous peut vous améliorer ou vous anéantir. Souvenez-vous que même les meilleurs gardiens accordent en moyenne un but à tous les 10 tirs. L'idée, c'est de faire l'arrêt suivant. Il est utile de vous rappeler comment le dernier but a été marqué. Pensez un instant à la manière dont vous auriez pu réagir pour faire l'arrêt, puis oubliez tout ça.

La meilleure habitude mentale que peut développer un gardien de but est d'admettre l'erreur et de continuer. Le passé est de l'histoire, l'avenir un mystère et le présent un cadeau.

« Pour moi, il y a une énorme différence entre vitesse et rapidité. La rapidité est davantage une réaction, un mouvement soudain vers la rondelle ou vers un joueur dans le coin. »

JERE LEHTINEN

PERSONNE NE L'ADMETTRA, mais la plupart des gardiens choisissent leur équipement en fonction du « look » plutôt que de son efficacité. Le fameux gardien de but russe Vladimir Tretiak s'est intéressé au hockey parce qu'il aimait l'uniforme.

L'équipement du gardien va avec son style et sa personnalité. Les jambières sont différentes selon qu'on est un gardien qui préfère le style debout ou le style papillon. Mais le but de l'équipement est principalement de convenir pour bien protéger.

L'équipement d'un gardien est très coûteux. Il faut en prendre soin. Une des qualités des bons gardiens, c'est qu'ils prennent soin de leur équipement. Pour le gardien plus que les autres joueurs, bien entretenir son équipement assure que celui-ci va bien le servir.

l'équipement

GARDER LE BUT

Les patins

Il existe deux types de patins pour les gardiens de but : des coquilles en plastique avec bottillons et des bottines en cuir avec renforcements en plastique.

Pour des pieds un peu irréguliers, la coquille donne plus de flexibilité. Certains gardiens pensent que les patins de ce type fournissent une meilleure protection et qu'ils sont plus durables. En remplaçant les bottillons, vous avez de nouveaux patins. Les patins munis d'un haut en cuir prennent plus de temps à s'assouplir. Mais pour des pied normaux, au bout du compte, ce sera le meilleur choix.

Les jambières

Il existe de multiples formes et dimensions de jambières, avec des modèles différents pour la position debout et la position papillon. Les gardiens qui préfèrent jouer debout adoptent des jambière plus

Les jambières de Kendall offrent une protection accrue à la hauteur des genoux.

Rangez vos jambières comme le font les pros : la partie la plus humide en haut, de sorte qu'elles puissent sécher plus rapidement.

Ces vieilles jambières sont usées à l'intérieur. À éviter.

Patins et jambières

courtes. Les jambières pour le style papillon offrent plus de protection à l'intérieur des genoux.

Après chaque match ou exercice, examinez bien vos jambières. Recouvrez-les d'un bon protecteur contre l'humidité, surtout près des patins et dans la partie intérieure qui repose toujours sur la glace quand vous pratiquez le style papillon. L'humidité rend les jambières plus lourdes. Rangez les jambières à l'envers pour qu'elles gardent leur forme et qu'elles sèchent plus rapidement. C'est ce que font les pros.

Vérifiez les courroies. Ayez toujours des courroies de rechange. Entourez la courroie de l'avant-pied de ruban gommé pour amortir les chocs. Faites la même chose avec les courroies qui frottent sur les supports de la lame du patin.

La mitaine

La mitaine est votre pièce d'équipement la plus personnelle. Elle effectue des arrêts presque à elle seule et donne rarement des retours de lancer. Portez-lui une attention particulière. Après un match, mettez quatre rondelles dans le panier et serrez avec une courroie en velcro pour en augmenter la profondeur. Ne la lancez pas négligemment dans le sac d'équipement.

Le bouclier

La seule inquiétude vient des petits trous dans les doigts intérieurs. Ces petits trous aident à avoir une meilleure prise sur le bâton, mais dès qu'ils s'élargissent le doigt devient nu sur le bâton, ce qui peut entraîner des blessures graves et permanentes. Réparez les trous.

Dans le cas d'une mitaine d'occasion, vérifiez la rigidité dans le pouce et la partie qui protège le poignet.

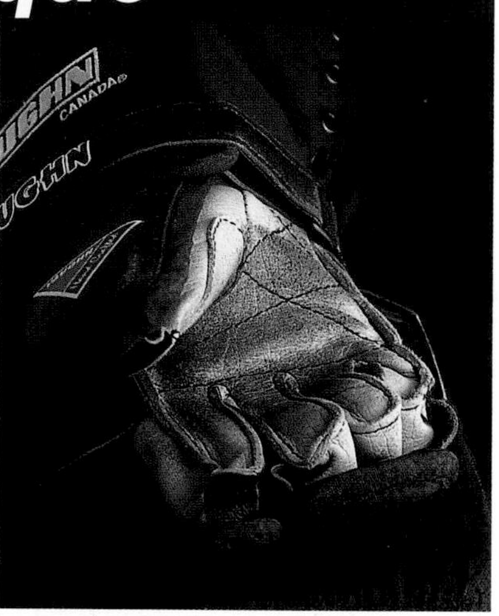

Un bouclier d'occasion fera l'affaire si la paume du gant est intacte.

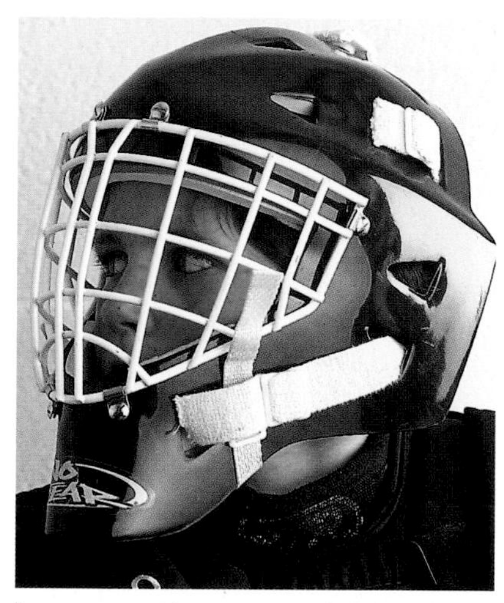

Le masque et le protecteur de la gorge sont superposés et ne laissent aucune ouverture.

Casque/masque

Voilà une pièce d'équipement qui peut vous faire réaliser des économies. Ce ne sont pas tous les gardiens qui ont besoin de ces masques décorés à la main comme ceux des pros. Un casque avec une grille peut tout aussi bien faire l'affaire et coûtera deux fois moins cher qu'un ensemble de pro en fibre de verre. Assurez-vous que toutes les vis et attaches soient bien serrées avant chaque match.

Si vous utilisez un casque avec une grille, choisissez un grillage formé de carrés. Selon Andy Moog, entraîneur de gardiens de but, en rembourrant légèrement les côtés et l'arrière d'un casque protecteur un peu trop grand, on obtient un casque sécuritaire et confortable.

L'équipement de gardien de but est très coûteux et on reconnaît la qualité d'un gardien au soin qu'il prend de son équipement. Votre équipement passe beaucoup de temps dans votre sac. Rangez-le correctement.

Prenez l'habitude de toujours procéder de la même façon : chaque chose à sa place. Ainsi, si quelque chose manque, vous le remarquerez aussitôt. Si vous rangez vos patins dans le sac, utilisez des protecteurs de lame pour protéger les autres pièces d'équipement.

Ayez toujours quelques pièces de rechange : courroies pour les patins, attaches pour le casque, ruban gommé et paire de bas supplémentaire. Un torchon huilé conservé dans un sachet hermétique est idéal pour nettoyer vos lames de patin. Luxe peu coûteux, mettez dans votre sac d'équipement une petite pièce de tapis ou de moquette que vous déposerez sur le sol devant vous. Vous aurez ainsi une stalle de vestiaire professionnel.

Choisissez une méthode de rangement efficace et appliquez-la.

Ainsi vous saurez facilement s'il manque une pièce.

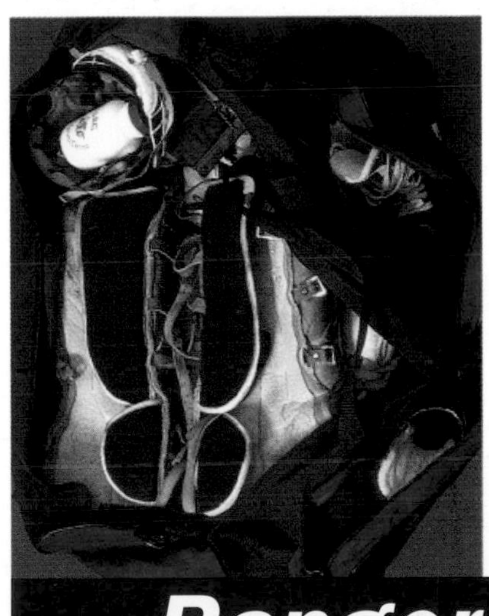

Développez de bonnes habitudes en dehors de la glace.

Ranger l'équipement

Bien sûr, entre les matchs, il faut sortir l'équipement du sac. Mettez-le à sécher dès que vous arrivez à la maison. Voilà une bonne habitude à acquérir. Pendant que vous le faites, vous pourrez vous rappeler comment vous avez joué.

Si vous avez gagné, tentez de vous souvenir d'une leçon que vous avez apprise. Si vous avez perdu, identifiez ce que vous avez bien fait. Demandez-vous quel fut le meilleur moment. Pendant que vous disposez votre équipement pour qu'il sèche, que vous vérifiez s'il est endommagé, rappelez-vous ce bel arrêt que vous avez effectué. Accordez-vous ce qui vous revient. Soyez votre propre entraîneur.

« Je ne pense qu’à une chose quand je me prépare à une mise en jeu durant un avantage numérique : envoyer la rondelle derrière moi. En avantage numérique, plus vous contrôlez la rondelle longtemps, plus vous avez de chances de marquer. »

MIKE MODANO

LES UNITÉS SPÉCIALES

IL N'EST PAS RARE durant un match que l'on décerne au moins 10 pénalités. Cela signifie que durant près de 30 minutes, une des deux équipes disposera d'un avantage significatif. Il n'est pas surprenant que les groupes de joueurs qui jouent en avantage ou en désavantage numérique soient appelés *unités spéciales*.

Pour jouer dans les *unités spéciales*, il faut être un joueur spécial : être capable de protéger la rondelle, de mettre en échec, de patiner à toute vitesse dans les deux sens, de bien jouer défensivement et aussi de marquer.

Durant ces situations, vous devez analyser et réagir quand la rondelle change de camp. Quand l'équipe en désavantage s'empare de la rondelle, elle se tourne vers l'offensive. Quand cela se produit, les attaquants deviennent des défenseurs en une fraction de seconde.

Voici ce que vous devez savoir pour exceller dans ces moments cruciaux.

La base

Vous savez qu'il existe des différences entre l'avantage et le désavantage numérique. Entre autres, le nombre de joueurs qui se trouvent sur la glace. Ce qu'il est plus important de savoir, c'est que les deux situations se ressemblent. Ce dont il faut se souvenir toujours, c'est que les unités spéciales, en attaque ou en défensive, jouent toutes les deux en fonction du temps et de l'espace. La différence est qu'ils ne les utilisent pas de la même façon.

Avantage numérique

Les joueurs présents sur la glace durant un avantage numérique disposent d'une période de temps précise et d'un peu plus d'espace sur la glace qu'en situation ordinaire. Vous devez tenter d'utiliser ce temps et cet espace pour marquer. L'objectif est simple : mettre la rondelle dans la zone payante – la zone de tir – et tirer.

Appuyer l'attaque

Après avoir effectué une passe, l'attaquant le long de la rampe crée de la pression en se dirigeant vers la zone de tir en attente d'une passe...

...pendant que le premier porteur du disque reçoit la passe à l'intérieur de la boîte de protection formée par les défenseurs.

Désavantage numérique

Les joueurs qui doivent « tuer » une pénalité utilisent aussi le temps et l'espace. Ils essaient de contenir le jeu et de le ralentir. En premier lieu, il faut se lancer en échec avant pour tenter autant que possible d'empêcher les attaquants de sortir de leur zone. Une fois que la brigade offensive s'est installée dans votre zone, il faut toujours tenter de maintenir le jeu le long des rampes. Votre objectif est d'empêcher la rondelle de se retrouver dans la zone de tir. Une fois en possession de la rondelle, laissez les attaquants courir après vous.

Il arrive que l'arbitre annonce une pénalité retardée, alors que votre équipe est en possession de la rondelle. Cela signifie que vous pouvez remplacer votre gardien par un attaquant supplémentaire. Pour profiter de ce bref avantage, il faut que deux joueurs voient l'arbitre lever le bras. Le gardien en premier lieu doit se précipiter vers son banc. L'équipe pénalisée ne peut marquer parce que dès qu'un de ses joueurs touchera à la rondelle, l'arbitre sifflera l'arrêt du jeu. L'autre joueur qui doit voir le geste de l'officiel est le joueur désigné pour remplacer le gardien. Ce joueur est généralement le centre du trio prévu pour le tour suivant.

Aide-mémoire pour les pénalités retardées

- En premier, le gardien doit se rendre au banc. Si vous vous rendez compte que le gardien n'a pas vu le geste de l'arbitre, criez à votre gardien de revenir au banc. Quand il est à trois mètres (10 pi) du banc, l'attaquant supplémentaire peut sauter sur la glace.
- Une façon de garder le contrôle de la rondelle consiste à la remettre à un joueur de pointe qui peut décider de retraiter dans la zone neutre. Si c'est le cas, il est important de revenir et d'aller appuyer le porteur du disque.
- Ne demeurez pas immobile en train de vous réjouir quand vous voyez que l'arbitre va décerner une pénalité. Il y a des choses que vous pouvez faire pour aider votre équipe avant que l'arbitre siffle.

Ici, le banc est prêt. Quand vous êtes rapproché suffisamment, criez : « Prochain centre. »

Le sixième attaquant doit se précipiter pour rejoindre le jeu et bien amorcer le jeu de puissance.

Un bon gardien aide énormément son équipe en patinant rapidement vers le banc.

LA CLÉ DU SUCCÈS d'un bon jeu de puissance est de bien utiliser le joueur supplémentaire. L'objectif est d'obtenir un bon tir à partir de la zone de tir... juste devant le filet adverse. Avec un ou deux joueurs de plus, votre unité d'avantage numérique devrait y parvenir.

Dans la LNH, les meilleures équipes en avantage numérique marquent en moyenne une fois sur quatre. Les meilleures équipes en désavantage numérique réussissent à empêcher un but neuf fois sur dix. Il est donc plus probable que c'est la défensive qui aura le dessus. Cela signifie que pour parvenir à marquer, vous devez appliquer une bonne stratégie, un bon plan. Un bon jeu de puissance n'est pas seulement un joueur de plus, c'est aussi un ensemble de joueurs qui suivent un plan.

jeu de puissance

LES UNITÉS SPÉCIALES

Faire entrer la rondelle dans la zone offensive

La plupart des pénalités sont décernées à des défenseurs, ce qui provoque une remise en jeu dans la zone offensive. Mais parce que l'équipe en désavantage a le droit de dégager son territoire, beaucoup d'occasions de marquer ont pour point de départ votre propre zone. Cela signifie que le premier objectif est d'amener le disque dans la zone adverse et, autant que possible, de l'y contrôler.

La méthode

Il y a trois manières de faire pénétrer la rondelle dans la zone adverse : y transporter la rondelle, la faire rebondir sur la bande pour la reprendre, ou la lancer dans le fond de la zone et se mettre à sa poursuite. Ce sont trois jeux faciles et efficaces. Mais souvenez-vous que votre choix de jeu dépend de ce que vous voyez à la ligne bleue.

Transportez la rondelle jusqu'à ce qu'on vous mette en échec. Ne passez la rondelle que si vous y êtes forcé. Transportez la rondelle le plus profondément possible...

...puis effectuez une passe à un attaquant démarqué. N'oubliez pas : si on vous met en échec, un de vos joueurs est forcément à découvert.

Transporter la rondelle

La meilleure manière de faire pénétrer le disque dans la zone adverse, c'est de la transporter vous-même à travers la zone centrale jusqu'à ce qu'on exerce de la pression sur vous. La raison pour laquelle vous pénétrez profondément avec la rondelle, c'est que vous voulez donner assez de temps à vos coéquipiers de bien se poster dans la zone. Une fois dans la zone, il existe plusieurs bons moyens de diriger la rondelle vers un de vos joueurs.

Passe à un joueur démarqué : si vous traversez la ligne bleue près de la rampe, patinez rapidement, puis effectuez un virage brusque vers la bande. Cela devrait suffire pour vous débarrasser de votre surveillant. Essayez alors de faire une passe à un joueur installé profondément dans la zone. S'il n'y a pas de joueur à découvert, laissez la rondelle au joueur de pointe le plus rapproché.

Passer derrière le filet : si vous êtes profondément dans la zone et que deux joueurs vous harcèlent, passez derrière le filet en utilisant la rampe pour rejoindre un coéquipier à l'aile opposée. Si vous faites face à beaucoup de pression, il y a de bonne chances qu'un de vos joueurs soit libre de l'autre côté.

Faire ricocher la rondelle sur la bande

Votre deuxième option consiste à faire ricocher la rondelle derrière le défenseur en utilisant la bande. Un des joueurs qui patine avec vous pourra récupérer le disque profondément dans la zone adverse.

En zone offensive

Le joueur démarqué est très souvent à l'aile opposée. Lui envoyer la rondelle en passant derrière le but peut créer une occasion de marquer.

N'oubliez pas :

- Transportez la rondelle tant qu'on ne vous met pas en échec. S'il n'y a pas de pression, rendez-vous au filet.
- Quand vous vous dirigez vers la zone adverse, avancez en équipe. Appuyez le porteur du disque en vous postant pour être prêt à recevoir une passe.
- Ne soyez jamais hors-jeu durant un jeu de puissance. Vous avez beaucoup de temps devant vous.
- Une fois dans la zone, vous souhaitez que les défenseurs se dirigent vers vous.
- Soyez combatif mais toujours calme.

Le disque dans le fond de la zone

Très souvent les joueurs en désavantage numérique s'installent sur la ligne bleue et bloquent toutes les ouvertures. Dans ce cas, la meilleure offensive consiste à lancer la rondelle profondément dans la zone et à se mettre à sa poursuite. Assurez-vous d'avoir dépassé la ligne rouge au centre de la glace. Projetez la rondelle haut et profondément, et lancez-vous à sa poursuite. Les défenseurs devront se retourner et peut-être seront-ils trop lents pour prendre possession du disque ; vous et vos coéquipiers devriez réussir à récupérer la rondelle.

Aide-mémoire de jeu de puissance en zone offensive

- Analysez le jeu et réagissez à ce que vous voyez pendant que vous traversez la zone neutre.
- Choisissez le bon jeu parmi les trois mentionnés ici. Il faut que le disque entre dans la zone offensive.

Quand l'adversaire se masse à sa ligne bleue, lancez la rondelle profondément dans la zone. Tirez après avoir dépassé la ligne rouge.

L'ailier à l'aile opposée doit être assez rapide pour devancer le défenseur.

Lancer dans le fond

- Exercez de la pression sur l'adversaire en entrant rapidement dans la zone pour attirer les défenseurs.
- Souvenez-vous que si vous ne parvenez pas à bien vous installer dans la zone offensive, le jeu de puissance ne fonctionnera pas. Vous pourrez peut-être marquer sur une montée, mais, de manière générale, l'unité est composée en fonction de l'unité spéciale défensive joueur pour joueur et pour créer un surnombre dans une zone précise : près du filet ou dans la zone de tir.

L'aptitude essentielle pour le jeu de puissance est la capacité de voir l'ensemble du jeu et de trouver le joueur le mieux placé pour marquer. Même dans la LNH, c'est un talent rare, tellement qu'on compare les joueurs qui peuvent le faire à des quarts-arrière au football. Pourquoi ? Parce que généralement, les buts marqués lors du jeu de puissance résultent de manœuvres planifiées, qui ont été répétés durant les entraînements. Au football, presque tous les jeux commencent avec le quart en possession du ballon. Or, une bonne attaque massive fonctionne de la même manière.

Il y a quatre étapes fondamentales dans un jeu de puissance :

1. Contrôler et protéger la rondelle.
2. Faire bouger le disque.
3. Se poster à l'intérieur de la boîte.
4. Appliquer le plan.

Si vous parvenez à bien maîtriser ces quatre éléments, vous deviendrez un véritable quart.

Diriger le jeu de puissance

Voici Kellin Carson à l'œuvre comme un quart-arrière. Il organise le jeu de puissance comme le ferait Paul Kariya.

L'équipe en avantage contrôle la rondelle et vise à la diriger vers la pointe. Ici, Kellin regarde en direction du poteau opposé et de son coéquipier démarqué à proximité.

Contrôler et protéger la rondelle

Si vous avez réussi à transporter la rondelle de l'autre côté de la ligne bleue, vos coéquipiers doivent :

- demeurer prêts et démarqués pour de courtes passes rapides.

Si la rondelle a été lancée dans le fond de la zone, vos coéquipiers doivent :

- se diriger rapidement vers la rondelle ;
- être en surnombre par rapport aux défenseurs ;
- ramener la rondelle à la pointe ou, s'ils ne peuvent bouger la rondelle...,
- ...la protéger et attendre de l'aide.

Profitez de vos coéquipiers

Durant l'avantage numérique, le porteur du disque doit exercer de la pression sur les défenseurs en transportant la rondelle. Pour le faire, il doit bien voir ses coéquipiers libres. Chaque attaquant doit :

- Fournir une cible pour le porteur de la rondelle. À chaque passe, vous risquez de perdre la rondelle. Les passes doivent donc être courtes, rapides et précises.
- Travailler sans arrêt pour pouvoir se démarquer.
- S'adapter à la situation et se rapprocher du joueur qui reçoit la rondelle. Celui-ci doit la protéger. Postez-vous en position pour recevoir sa passe.

C O N S E I L

Quand vous maintenez la rondelle en mouvement, vous changez les points d'attaque, ce qui force les défenseurs à poursuivre la rondelle.

Aide-mémoire du jeu de puissance

- La sortie de zone doit se faire de manière ordonnée et en fonction du plan. Les joueurs doivent avancer en groupe.

Faites circuler la rondelle rapidement et avant même de l'avoir reçue, prévoyez votre prochain jeu.

Vos coéquipiers doivent circuler entre les défenseurs pour créer des possibilités. Ici, Dane Stevens fait le bon choix : une passe.

Circulation de la rondelle

- Dans la zone centrale, vous devez travailler en équipe de façon à ce que chaque défenseur en ait plein les bras.
- Gagnez ou maintenez le contrôle du disque dans la zone offensive.
- Une fois que tous les joueurs sont en position dans la zone, jouez collectivement.
- Chaque joueur doit se démarquer de façon à créer des couloirs de passe pour le porteur du disque.

Pénétrer dans la boîte défensive

Durant un cinq contre quatre, l'équipe en désavantage doit, pour protéger la zone de tir, former une boîte. Votre équipe doit prendre d'assaut cette boîte pour pénétrer à l'intérieur où les chances de marquer sont meilleures. La meilleure façon d'y parvenir, c'est de profiter des ouvertures entre les joueurs défensifs. Durant un cinq contre quatre, il y a cinq ouvertures, cinq portes d'entrée entre les défenseurs, une pour chaque attaquant.

Deux équipiers, dont l'un détient le disque, se présentent en situation de deux contre un devant un défenseur. Chacun des attaquants peut exercer de la pression sur la boîte en forçant le défenseur à exécuter une manœuvre. En bougeant d'un côté ou de l'autre, le défenseur élargit une ouverture dans la boîte. En tant que porteur du disque, vous devez analyser le jeu et réagir selon le choix du défenseur, soit en passant la rondelle, soit en la conservant. Peu importe, la rondelle est dans la boîte.

Pénétrer dans la boîte

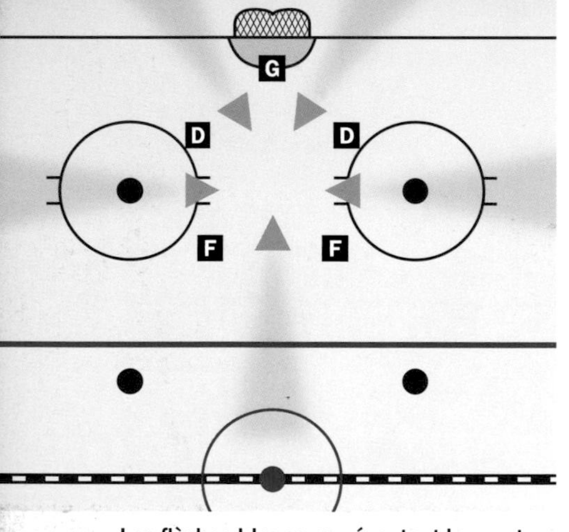

Les flèches bleues représentent les portes d'entrée dans la boîte défensive.

Le joueur de pointe avance avec la rondelle au milieu de la glace pour pénétrer avant le défenseur dans la zone de tir.

Exercer la pression

Quand vous êtes porteur du disque, vous pouvez pénétrer dans la boîte par ces ouvertures pour créer de la pression devant le filet. Il y a deux moyens :

- Vous pouvez transporter la rondelle dans la boîte.
- Vous pouvez céder la rondelle à un de vos coéquipiers, entrer dans la boîte et attendre une passe. Cette manœuvre provoque un deux contre un avec le défenseur le plus proche. Agissez alors comme dans tout deux contre un normal en analysant la réaction du défenseur puis en y réagissant.

La plupart des jeux préparés durant un jeu de puissance débutent juste à l'extérieur du cercle de mise en jeu. C'est normalement la position du quart-arrière de l'avantage numérique parce que de cette position, les options de passe sont multiples. Voici les choix qui se présentent à vous :

- Si un de vos joueurs est au centre de la zone de tir et qu'il est dégagé, c'est votre premier choix.
- Remettre la rondelle à la pointe est un jeu prudent qui permet de se diriger vers le centre.
- Passer à l'ailier qui joue profondément met de la pression sur le défenseur qui joue du côté fort (le côté où la rondelle se trouve). Cela peut aussi créer une ouverture pour une autre passe vers le centre.
- Ou encore vous pouvez retraiter vers la ligne bleue, vous diriger vers le fond de la zone ou tenter de transporter la rondelle dans la zone de tir si un défenseur mord à l'hameçon.

CONSEIL
Une manière de soustraire la rondelle au gardien adverse consiste à la lancer dans le coin de la zone.

À la pointe, soyez toujours en position de tir. Ici, le joueur défensif est hors position ; Kellin peut tirer...

...et pour se donner un meilleur angle de tir, il patine vers le milieu. Maintenant il peut tirer vers le but.

Exécuter le plan

Analyser et réagir

Le jeu que vous devez choisir dépend de ce que font les deux défenseurs de votre côté de la boîte. Si l'un d'eux se dirige vers vous, le quart-arrière, vous pouvez projeter la rondelle vers l'espace que le défenseur vient d'abandonner.

En passant la rondelle et en vous avançant dans le couloir central pour une passe retour, vous forcez le défenseur à faire un choix. Comme dans un deux contre un, vous ou votre coéquipier serez à découvert pour recevoir une passe et tirer.

Préparation

La plupart des buts marqués en avantage numérique commencent par un tir de la pointe. Voici deux manières de préparer ce tir.

Bouger vers le centre et tirer

Le quart-arrière passe la rondelle au joueur de pointe le plus près. Celui-ci se déplace vers le centre et tire. Vous et l'ailier qui joue profondément pénétrez dans la boîte pour saisir le retour. Si le défenseur en haut de la boîte se déplace vers la ligne bleue pour marquer le joueur de pointe, le quart-arrière est à découvert et devrait recevoir une passe du joueur de pointe.

Tirer de la pointe

Le joueur de pointe doit effectuer des choix instantanés. Passer ou tirer ? Ici, le défenseur n'est pas en ligne avec la rondelle...

...et le joueur de pointe tire. Tirez bas, ce qui exigera un arrêt avec le bâton et résultera probablement en un retour.

CONSEIL DE LA LNH

« En avantage numérique, tout ce que je veux c'est tirer au but. Je veux que la rondelle aille au-delà du défenseur qui veut la bloquer ou qu'elle se rende près d'un de mes joueurs qui la déviera dans le but. »

WADE REDDEN

Tirer sur réception

Plutôt que de tirer, le joueur du côté fort prend la passe et la relaie à un de ses joueurs pour un tir sur réception. La rondelle devrait aboutir juste devant le receveur, à plat sur la glace.

Le tireur de la pointe a toujours le choix de tirer du côté de l'ailier qui joue profondément pour qu'il puisse dévier facilement la rondelle dans le but. Tous les tirs de la pointe devraient être bas pour provoquer des rebonds. Comme dit Wade Redden : « Ce que vous voulez éviter, c'est de tirer à l'extérieur du poteau éloigné. La rondelle va rebondir sur la rampe et faire le tour de la zone. »

Souvenez-vous : si votre ligne de tir est bloquée, lancez la rondelle profondément près de la rampe. Un tir de la pointe bloqué par un défenseur risque de causer une échappée vers votre filet.

« Il m'a fallu des années pour comprendre que le hockey se jouait avec le bas du corps. Entre les saisons, je travaille la puissance de mes jambes. Avec la plyométrie, j'accrois ma rapidité. »

KEITH PRIMEAU

De nombreux jeux de puissance commencent par une mise en jeu dans la zone offensive. C'est peut-être la plus importante mise en jeu du match. Tous les principes de base pour une mise en jeu s'appliquent ici et certains sont fondamentaux.

Souvenez-vous des gestes précédents de votre adversaire. Par exemple, quel genre de prise utilise-t-il sur son bâton ? N'oubliez pas : avant de vous installer au point de mise en jeu, vous devez vous assurer que vos joueurs sont postés aux bons endroits. Prenez votre temps. Observez bien le juge de ligne. Ayez un plan.

Voici trois façons de remporter la mise en jeu.

Remettre le disque au tireur

Lors d'une mise en jeu en zone offensive, le centre tente de remettre la rondelle au joueur de pointe ou à un joueur installé dans

Mises en jeu

Durant l'avantage numérique, toutes les mises en jeu sont cruciales. Ici, le centre a trois choix : la pointe, la zone de tir ou l'aile gauche...

Comme l'adversaire est plus rapide, le centre tente de neutraliser son bâton.

la zone de tir. Le jeu le plus facile se fait vers la pointe, mais si la remise est trop forte, elle peut rater la cible et vous serez obligés de vous regrouper en zone centrale pour revenir dans la zone offensive. Il est préférable de neutraliser le bâton de votre adversaire, de prendre le contrôle, puis de remettre la rondelle au joueur de pointe.

Dès que vous avez effectué la passe, montez au filet.

Lancer instantanément

Si la mise en jeu se fait du côté de votre lancer du poignet, tirez dès que la rondelle touche la glace. Cette tactique est plus efficace quand le centre adverse pointe sa palette vers la rampe, autrement dit dans le même sens que vous. Souvent, le gardien s'avance un peu vers le milieu et vers le tireur, ce qui laisse le côté rapproché ouvert. Regardez bien, puis dirigez-vous vers le filet pour capter le retour.

Pousser la rondelle vers l'avant

Souvent la meilleure tactique durant un avantage numérique consiste à pousser la rondelle vers l'avant plutôt que de la remettre à l'arrière. C'est une bonne tactique si vous avez perdu plusieurs mises en jeu. Prévenez vos coéquipiers. L'idée, c'est de déborder l'adversaire et de récupérer la rondelle, généralement dans le coin. Si vous perdez la mise en jeu, précipitez-vous immédiatement vers le défenseur qui possède la rondelle.

CONSEIL DE LA LNH

« La mise en jeu idéale pour moi durant un jeu de puissance se déroule du côté gauche de la patinoire. Je tente alors de remettre la rondelle à un des joueurs de pointe pour que le jeu de puissance démarre bien. »

MIKE MODANO

Formez un tripode solide avec les pieds et le bâton. Surveillez la main de l'officiel. L'adversaire va vers la gauche pour protéger la rondelle...

...vous attaquez son bâton. Vous ne pouvez pas gagner toutes les mises en jeu, mais vous pouvez éviter d'en perdre la majorité.

Quelques conseils pour les mises en jeu

- Placez vos joueurs là où vous le désirez.
- Prenez une profonde respiration et posez la palette sur le cercle rouge. Surveillez la main de l'officiel.
- Si la mise en jeu se fait de votre côté naturel pour tirer, effectuez un lancer instantané. Visez le côté court.
- Tirez bas. Pensez au rebond.
- Ne remettez pas toujours la rondelle vers l'arrière. Essayez aussi à l'avant. Laissez l'adversaire dans l'incertitude.
- Ne dérangez pas l'officiel car il a toujours le dernier mot.

Certains gardiens pensent qu'ils sont en congé durant un avantage numérique. Pourtant, il y a plein de choses à faire. Vous pouvez être celui qui déclenche l'attaque et aussi celui qui sauve la situation. En demeurant bien alerte et en suivant le jeu, vous pouvez empêcher que l'adversaire marque un but en désavantage. En faisant une passe, vous pouvez obtenir une aide. Voici sur quoi vous devriez porter votre attention.

Demeurer dans le jeu

Impliquez-vous avec vos coéquipiers en vous concentrant sur la rondelle, même quand elle se trouve à l'autre extrémité de la patinoire. La plupart des pénalités sont décernées dans la zone de l'adversaire. Surveillez celles qui sont évidentes comme bâton élevé, faire trébucher ou cingler. Souvenez-vous cependant de ne pas décerner de pénalités à la place des officiels. Ils ont horreur de ça.

Le gardien durant le jeu de puissance

Demeurez dans le jeu même quand votre équipe est dans la zone adverse.

Si un de vos joueurs est victime d'une infraction et que l'arbitre a levé le bras, déguerpissez.

Si votre équipe contrôle le disque et qu'il n'y a pas de coup de sifflet, précipitez-vous vers votre banc.

CONSEIL
Soyez la bougie d'allumage du jeu de puissance : surveillez les infractions et détalez vers le banc s'il y a lieu.

Quand vous pensez avoir vu une infraction, surveillez le bras de l'arbitre. S'il lève le bras et qu'un de vos joueurs est le porteur du disque, dirigez-vous vers le banc. Soyez toujours prêt à stopper subitement au cas où vous vous seriez trompé, que l'adversaire aurait repris le contrôle et qu'il n'y aurait pas d'arrêt de jeu. Patinez toujours à pleine vitesse.

Les joueurs sur le banc vous tournent le dos normalement parce qu'ils suivent le jeu. Si personne ne vous voit venir, criez : « Prochain centre. »

Le gardien durant le jeu de puissance

Surveiller les revirements

Durant le jeu de puissance, plusieurs signes vous indiqueront que votre équipe éprouve des difficultés, même si le jeu se déroule loin de vous. Ces sonnettes d'alarme sont par exemple les longues passes transversales, surtout le long de la ligne bleue, un joueur de pointe qui s'avance profondément ou qui tire directement sur les jambières de son surveillant.

Les revirements durant un avantage numérique prennent très souvent les attaquants à contre-pied, ce qui provoque des échappées et des deux contre un. Ne paniquez pas, vous avez du temps. Assurez-vous que votre position est bonne, puis concentrez-vous sur le joueur en position de tir. Dites-vous que vous marquerez probablement le but égalisateur.

C O N S E I L

Portez attention aux petites choses : contrôler les retours de tir, serrer contre le poteau, bouger la rondelle, surveiller le chronomètre.

Contrôler le jeu

Quand le jeu se déroule en zone offensive, sortez de votre filet un peu plus loin que normalement. Dites-vous que vous contrôlez tout l'espace qui va des points de mise en jeu jusqu'à la rampe du fond. Dans cette zone, vous êtes le maître. Parlez à vos coéquipiers.

Si vous maniez bien la rondelle, vous pouvez faire gagner beaucoup de temps à vos joueurs en interceptant les dégagements le long de la rampe et en effectuant une passe à un de vos défenseurs. Analysez bien le jeu. Décidez quel sera votre jeu avant que la rondelle arrive jusqu'à vous. Regardez bien la rondelle dans votre mitaine ou sur votre bâton.

Le jeu de puissance donne de belles occasions de marquer. Durant un deux contre un, sortez du but, mais pas de l'extérieur de votre demi-cercle. Concentrez-vous sur le tireur.

Souvent les tirs de la pointe sont bloqués et se transforment en échappée. Soyez prêt et forcez l'attaquant à faire le premier geste.

Le gardien qui fait une passe doit appliquer les mêmes principes que tous les autres joueurs. Établissez toujours un contact des yeux avec le joueur visé avant d'effectuer la passe. Voyez de quel côté du corps le receveur tient son bâton. Puis balayez fermement la rondelle de ce côté. N'oubliez pas, il faut balayer la rondelle, pas frapper un circuit. Exercez-vous à faire de courtes passes avant.

Réussir le gros jeu

Quand vous interceptez un dégagement, il y a de bonnes chances que l'adversaire effectue un changement de joueurs. Quand vous êtes en possession de la rondelle, repérez un de vos joueurs du côté rapproché de la ligne rouge ou du côté opposé au banc de l'adversaire. Si ce joueur est à découvert, faites-lui la passe.

Le sixième attaquant

Établissez un contact du regard avec votre joueur avant de faire la passe. Visez le ruban gommé.

La longue passe : la brigade défensive effectue un changement, cherchez un coéquipier à découvert.

Avertissez vos joueurs du retour sur la glace du joueur pénalisé.

CONSEIL

Quand vous effectuez une passe, visez le ruban gommé sur la palette. Complétez votre mouvement en pointant le bout de votre palette en direction de votre cible.

Quand c'est fini, c'est fini

Rien ne remonte plus le moral d'une brigade défensive que d'avoir une occasion de marquer dans les dernières secondes de la pénalité. Vous pouvez prévenir cette situation. Avertissez vos joueurs en frappant votre bâton sur la glace qu'il reste 10 secondes à la pénalité.

Quand le jeu se déroule dans la zone adverse, vos joueurs ne voient pas nécessairement le joueur pénalisé revenir. Quand vous voyez le joueur sauter sur la glace, prévenez le joueur de pointe le plus rapproché en criant son nom, surtout si l'adversaire contrôle le disque.

UNITÉS SPÉCIALES

désavantage numérique

EN MOYENNE, une équipe dotée d'un excellent jeu de puissance marque une fois sur quatre, mais une bonne brigade défensive ne se fait marquer des buts qu'une fois sur dix. Cela signifie que les bons joueurs défensifs sont déterminants pour une équipe. Si vous voulez être sur la glace pendant que le sort du match se joue, faites partie de l'unité spéciale défensive.

Souvent on utilise les joueurs les plus talentueux sur le jeu de puissance. En désavantage numérique, ce sont des joueurs fiables et constants que l'entraîneur envoie sur la glace. L'enjeu est plus grand. Et la satisfaction aussi est plus grande non seulement parce que la brigade défensive a un meilleur taux de réussite mais aussi parce que vos coéquipiers savent que vous avez fait la différence.

Une bonne unité spéciale défensive encourage le reste de l'équipe à jouer plus ardemment durant tout le match.

Pour « tuer » une pénalité, l'entraîneur cherche des joueurs intelligents qui savent bien analyser le jeu. Dans cette situation, il est important de savoir quand attendre et quand attaquer la rondelle. Vous devez réagir plus rapidement que les autres lors d'un revirement et vous transformer en attaquant pendant que l'adversaire est pris à contre-pied.

Puis, vient la vitesse. Pour compenser l'absence d'un joueur cela prend des patineurs rapides. La vitesse exerce de la pression sur le jeu de puissance. La vitesse corrige vos erreurs. Elle renverse les situations. Même si vous ne contrôlez pas le disque, votre vitesse rendra les opposants nerveux. Vous pouvez vous lancer en échec avant sans crainte parce que vous savez que votre rapidité vous permettra de revenir dans votre zone avant que le jeu de puissance ne s'installe.

Analyse et réaction

La position et la vitesse sont les deux clés en désavantage numérique. Ici, Luke Holowaty aperçoit Brooks Stillie qui fonce à toute vitesse...

Les deux joueurs sont à la hauteur de la rondelle. Luke ne peut la contrôler, c'est Brooks qui l'emporte.

CONSEIL DE LA LNH

« La vitesse est très importante dans mon jeu. Elle me permet de récupérer le disque dans la zone adverse. Elle m'aide aussi à revenir dans le jeu après une occasion de marquer et de me transformer en défenseur. »

JEREMY ROENICK

Ce que vous devez savoir

Il y a deux approches en désavantage numérique : passive et dynamique. L'entraîneur va choisir son style en fonction de la capacité de ses joueurs à analyser et à réagir, de leur vitesse et de leur qualité de manieur de rondelle. Le jeu passif consiste à maintenir sa position dans la boîte, à prendre le moins de risques possible et à attendre que l'adversaire commette une erreur. Dans le jeu dynamique, on attaque le jeu de puissance dans toutes les phases du jeu : mise en échec dans la zone défensive et dans la zone centrale, contrôle de la ligne bleue.

Après la capacité de lire le jeu et de bien réagir, viennent la dextérité avec le disque et la vitesse. L'unité spéciale défensive est la place idéale pour un joueur rusé et rapide qui veut briller.

Jeu défensif dans la zone offensive

Comme dans tous les aspects du jeu, une bonne défensive lors d'un désavantage numérique débute en zone offensive avec l'échec avant. Quelle que soit la stratégie, si vous êtes le premier joueur en échec avant, vous devez faire trois choses :

1. Analysez si le porteur de la rondelle la contrôle vraiment bien. S'il a des difficultés, attaquez la rondelle.

2. Choisissez un angle d'attaque que votre coéquipier derrière vous peut comprendre. Fermez un couloir. Si vous êtes près de la rampe, serrez pour provoquer une passe vers le milieu. Votre coéquipier comprendra qu'il doit se déplacer vers le couloir central.

3. Si le porteur du disque se réfugie derrière son filet, **installez-vous devant,** profondément dans la zone de tir, et attendez.

CONSEIL DE LA LNH

« Quand mes ailiers reviennent et qu'ils surveillent leur attaquant, je me sens plus à l'aise en m'installant à la ligne bleue. »

ROB BLAKE

Le défenseur de l'unité offensive regarde vers la zone centrale mais le défenseur en échec avant ferme ce couloir. Le défenseur retraite derrière le but pour attendre de l'aide...

...pendant que le joueur défensif attend devant le but, forçant le défenseur à perdre de précieuses secondes du jeu de puissance.

Quand l'attaque démarre

Revenez rapidement. Rejoignez le joueur dont vous êtes le responsable dans la zone neutre. Si les ailiers sont bien surveillés et que les défenseurs ferment la ligne bleue, ceux-ci vont pouvoir intercepter plusieurs passes transversales. Souvent, quand le porteur du disque voit les défenseurs installés sur leur ligne bleue, il ralentit et les ailiers sont en position de hors-jeu.

Avec les deux défenseurs sur la ligne bleue, l'entrée dans votre zone se complique. Souvenez-vous que vos défenseurs ne peuvent bloquer la ligne bleue que s'ils sont certains que les deux ailiers offensifs sont bien surveillés. Si ce n'est pas le cas, ils doivent retraiter dans leur zone pour empêcher les ailiers adverses de les déborder.

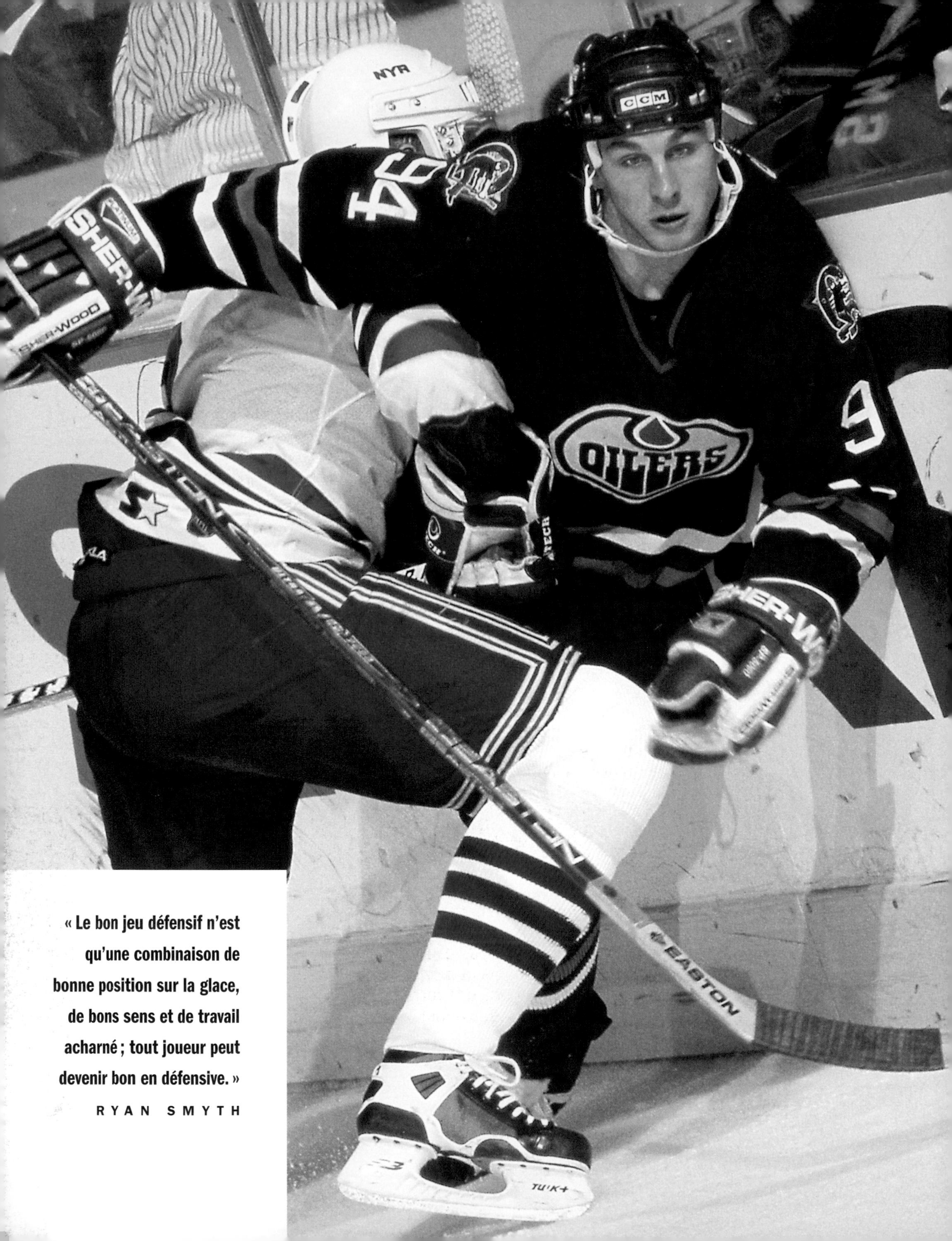

« Le bon jeu défensif n'est qu'une combinaison de bonne position sur la glace, de bons sens et de travail acharné ; tout joueur peut devenir bon en défensive. »

RYAN SMYTH

Parfois, malgré vos efforts acharnés, le jeu de puissance adverse va réussir à s'installer dans votre zone en contrôlant bien le disque. La meilleure façon de composer avec un désavantage numérique dans votre zone, c'est d'être certain que l'équipe adverse se déploie de la manière que vous souhaitez. Ils sont peut-être dans votre zone, mais dites-vous qu'avec le gardien, vous êtes en quelque sorte à égalité dans le nombre de joueurs.

Dites-vous que vous détenez un avantage. Votre travail est simple, il suffit de bloquer la zone de tir, l'*enclave* comme on dit souvent.

Les ouvertures de la boite

Pensez que vous êtes responsable de deux attaquants à la fois, soit les deux joueurs de chaque côté. Vous devez vous poster de manière à fermer l'ouverture entre vous et votre coéquipier de chaque côté de la boîte. Les quatre joueurs défensifs doivent tenir leur bâton sur la glace pour fermer les couloirs de passe. Tenez votre bâton du même côté que celui du tir du poignet de l'adversaire.

Nous avons parlé de ces ouvertures dans la boîte, de ces portes d'entrée vers le centre que veulent mettre à profit les attaquants. Un adversaire avec la rondelle au beau milieu de la boîte est dans la zone de tir. Votre brigade doit intercepter les passes, bloquer le centre et empêcher les occasions de marquer.

CONSEIL DE LA LNH
« Quand vous jouez près de la ligne de but, méfiez-vous de la confusion. Soyez conscient de la position de l'adversaire devant le filet et repoussez-le tout en vous assurant que votre gardien voit bien la trajectoire du disque. »
CHRIS CHELIOS

En bonne position, Brooks (en bleu) peut surveiller deux attaquants.

Il lit bien le jeu et empêche la passe. Il se dirige vers le porteur du disque.

Habilement, il récupère la rondelle.

Dans votre zone

En général durant un cinq contre quatre, les deux ailiers surveillent les joueurs de pointe pendant que les défenseurs se chargent des environs du filet. En réalité, vous surveillez deux joueurs, ceux qui sont les plus près de vous. Parce que si l'un d'eux possède la rondelle, son jeu idéal est un « Une-Deux » : il passe la rondelle et attend un retour de passe dans le centre de la boîte. C'est un deux contre un et vous êtes le « un ».

Comment contrer un deux contre un ? Demeurez entre les deux joueurs et bloquez le corridor de passe. Partout près du filet, bloquez la passe et laissez le gardien s'occuper du tir. Dès qu'un attaquant s'installe à l'intérieur de la boîte, vous la rapetissez en vous rapprochant du filet.

Quand vous récupérez la rondelle

Si vous interceptez la rondelle pendant que vous écoulez une pénalité et qu'on n'exerce pas de pression sur vous, prenez votre temps. Ne lancez pas automatiquement la rondelle dans le fond de la zone adverse. Un adversaire vous met-il en échec ? Si ce n'est pas le cas, conservez la rondelle. Regardez autour. Un de vos coéquipiers quitte-t-il votre zone ? L'adversaire procède-t-il à un changement de joueurs ? Si vous êtes un bon manieur de rondelle, transportez-la dans la zone adverse. Faites en sorte qu'on se dirige vers vous. Écoulez le temps. Si on exerce de la pression, vous pourrez toujours vous débarrasser de la rondelle.

Penser deux contre un

Deux joueurs défensifs plus le gardien protègent un côté de la zone. Vous êtes à forces égales.

Même si l'unité défensive a réussi à remettre la rondelle au joueur le plus rapproché du filet, tous les joueurs du jeu de puissance sont surveillés. C'est le gardien qui s'occupe du tireur. Trois contre trois.

Bloquer les tirs

Bloquer un tir de la pointe peut faire mal mais peut aussi provoquer une échappée. Placez-vous devant la rondelle, pas devant le corps du tireur. Faites face, ne tournez pas sur le côté. Dites-vous que la rondelle va rebondir sur vos jambières puis derrière le tireur. Patinez rapidement pour le déborder, poussez la rondelle devant vous et transportez-la en position de tirer jusqu'aux cercles de mise en jeu.

Ne vous jetez jamais sur la glace à moins d'être désespéré. Le tireur effectue souvent une feinte de lancer pour vous déjouer. Demeurez en position.

Aide-mémoire dans votre zone

- Dans votre zone, surveillez de près le joueur dont vous êtes le responsable. Cherchez des signes de faiblesse. Réclame-t-il la rondelle ? Contrôle-t-il bien la rondelle quand il la reçoit ? Si oui, reculez et fermez les couloirs de passe. Si la réponse est non parce que le joueur a des problèmes avec la rondelle ou veut s'en débarrasser, attaquez-le.

CONSEIL DE LA LNH
« En désavantage numérique, il faut compter sur de petites choses comme limiter l'espace de l'adversaire, l'empêcher de s'installer dans la zone de tir, essayer d'empêcher les tirs sur réception. »
JERE LEHTINEN

Bloquez la rondelle avec vos jambières et elle rebondira souvent derrière le joueur de pointe.

Le gardien égalise les forces dans un deux contre un. Le défenseur ferme la porte à la passe et le gardien s'occupe du tireur. En fait, c'est un deux contre deux.

- Bougez votre bâton. Tenez-le de côté pour fermer des couloirs de passe.
- Laissez l'unité offensive déplacer la rondelle à l'extérieur de la boîte défensive. Elle peut le faire durant deux minutes si elle le veut. C'est vrai sauf pour un endroit : le couloir central qui va de la ligne bleue jusqu'au filet. Un tir du centre de la ligne bleue est un tir très dangereux.

Vous pouvez réussir

Jouer avec deux hommes en moins n'est pas une condamnation à mort. Normalement ce sont les trois meilleurs joueurs de l'équipe qui sont désignés dans cette situation. Ils sont conscients que s'ils parviennent à écouler les deux minutes, ils peuvent changer le cours du match. Pour l'offensive, c'est parfois un cadeau empoisonné. On s'attend à ce qu'elle marque automatiquement. Si les attaquants ne parviennent pas à marquer dans les 30 premières secondes, ils vont commencer à s'énerver.

Réussir à empêcher le jeu de puissance de marquer remonte toujours le moral d'une équipe, à plus forte raison lors d'un cinq contre trois. Cela vous donne un nouvel élan, un peu comme un but inattendu. Et être choisi parmi les trois joueurs de l'unité spéciale constitue un honneur. Ce qu'il faut savoir, c'est que plus le jeu de puissance se déploie près du but, plus les forces en présence sont égales.

Cinq contre trois

La partie n'est pas perdue d'avance si vous faites face à un cinq contre trois. Tenez votre position et attendez que l'adversaire vous remette la rondelle. Si vous interceptez une passe dans le couloir central, vous pouvez déguerpir avec le disque.

CONSEIL DE LA LNH

« Mes entraîneurs ont toujours insisté sur le fait que pour gagner et devenir un bon joueur, il faut exceller en défensive. Vous ne pouvez pas vous compter d'histoires en pensant toujours à marquer des buts si vous voulez devenir un joueur complet. »

JEFF FRIESEN

Échec avant soutenu

Durant un cinq contre trois, il est de bonne guerre de créer une situation qui forcera les attaquants à vous remettre le disque. Le joueur qui est en échec avant tourne en même temps que le porteur du disque et se dirige en zone centrale pour marquer un ailier. La défensive est maintenant à forces égales avec les deux autres avants qu'elle peut mettre en échec à la ligne bleue. On obtient le même équilibre de forces si le joueur en échec avant surveille le joueur de centre.

Si l'adversaire lance la rondelle profondément dans votre territoire, les défenseurs doivent se précipiter vers le disque. Si un défenseur arrive le premier sur la rondelle et réussit à dégager sa zone, le jeu de puissance doit tout reprendre à zéro.

Quand l'adversaire contrôle la rondelle dans votre zone durant un cinq contre trois, il y a trois manières de jouer le triangle.
Le triangle standard : l'avant est posté en haut du triangle au milieu du couloir central et les deux défenseurs sont à la même position que s'ils formaient la boîte, juste à l'intérieur des cercles de mise en jeu à peu près à la hauteur des points rouges. L'avant est responsable des pointes et du haut de la zone de tir. Quand aucune pression ne s'exerce sur eux, les joueurs de pointe vont s'avancer. Surveillez la passe en direction de l'autre défenseur ; vous avez peut-être une chance de la dévier ou de l'intercepter.
Le triangle rotatif : l'avant tente d'intercepter la passe entre les joueurs de pointe. Si la passe est réussie, le défenseur du côté faible près du couloir central doit s'avancer pour bloquer le tir de la pointe. L'avant doit donc retraiter à la base du triangle. C'est une façon de maintenir une pression constante sur les attaquants et d'apporter de l'aide près du filet.
Le triangle flexible : la formation défensive n'est pas toujours composée de deux défenseurs et d'un avant. On peut inverser le triangle avec un défenseur devant le but et deux avants qui exercent de la pression sur les pointes. Le défenseur se déplace latéralement devant son but d'un poteau à l'autre selon l'emplacement de la rondelle. Les avants vont d'avant en arrière ; l'avant du côté fort va vers l'extérieur, l'autre vers l'intérieur tout en se méfiant des attaquants qui se trouvent profondément dans la zone.

Quand le jeu se déroule près du filet, les défenseurs détiennent l'avantage. Plus le jeu se déroule près du but, plus le gardien devient important.

Ici, l'avant ferme le couloir de passe vers l'attaquant à découvert près du filet.

Jouer le triangle

« Vous pouvez travailler à augmenter votre vitesse mais généralement c'est un talent inné. Si vous n'êtes pas un patineur rapide, vous devez perfectionner d'autres aspects de votre jeu. »

BRIAN ROLSTON

Demeurer confiant

Quand vous êtes en désavantage numérique, vous avez l'impression que presque toutes les mises en jeu sont des situations de vie ou de mort. Remporter la mise en jeu, particulièrement dans votre propre zone, est absolument crucial pour deux raisons : premièrement parce qu'une mise en jeu perdue dans votre zone peut provoquer une occasion de marquer près du filet. Deuxièmement parce que les joueurs en désavantage numérique se fatiguent rapidement et qu'une des manières de pouvoir changer de joueurs consiste à provoquer un arrêt de jeu. Ce qui signifie une autre mise en jeu dans votre zone.

CONSEIL DE LA LNH

« Vous ne remporterez jamais toutes les mises en jeu. Mais celles que vous ne voulez pas perdre sont celles qui ont lieu dans votre zone. Si vous perdez la mise en jeu, votre travail n'est pas terminé. Assurez-vous que votre adversaire ne se rende pas jusqu'au filet. »

STEVE RUCCHIN

Étudier son adversaire

Certains entraîneurs vont vous permettre d'effectuer des mises en jeu au centre de la glace au début de la partie pour vous permettre d'étudier les tactiques de votre adversaire. Surveillez les mises en jeu quand vous êtes sur le banc pour voir comment les officiels se comportent avec la rondelle.

Avant de poser votre hockey sur la glace, prévoyez quelque chose. Soyez prêt à tout et surveillez la main de l'officiel.

Le centre qui porte un chandail rouge joue en surnombre et remporte la mise en jeu. Le joueur en bleu doit bloquer le chemin vers le filet.

Mises en jeu en désavantage numérique

Être un leader

Durant la mise en jeu, le joueur de centre est le grand responsable de l'action. Lors d'une mise en jeu dans votre zone, assurez-vous que vos coéquipiers sont dans la position que vous souhaitez. Ne vous présentez jamais au point de mise en jeu avant d'avoir vu où se trouvent vos joueurs. Déposez votre palette sur la glace, puis inspirez fortement pour vous détendre et vous concentrer. Du coin de l'œil, surveillez la rondelle dans la main de l'officiel.

Et n'oubliez pas que si vous perdez la mise en jeu, vous pouvez toujours empêcher votre opposant de se présenter devant le filet.

Analyser et réagir

Toutes les mises en jeu sont différentes, même en désavantage numérique. Votre manière de jouer dépendra de vos performances contre le centre adverse, de l'emplacement de la mise en jeu et de ce que vous faites normalement pour avoir le dessus sur votre opposant. Dans votre zone, il est souvent plus important de ne pas perdre la mise en jeu que de la gagner nettement. Immobilisez le bâton de votre adversaire.

Quelques trucs

- La meilleure tactique consiste à repousser la rondelle dans le coin derrière vous loin du but. Le défenseur peut alors dégager le territoire ou engendrer une attaque en passant la rondelle, à vous ou à un autre coéquipier. Utilisez une prise renversée avec la main inférieure et ramenez la rondelle directement derrière vous.

Mises en jeu en désavantage numérique

Le centre offensif attaque le bâton du centre défensif. La rondelle est libre...

...Le centre défensif s'avance vers son opposant et l'éloigne du disque. Un coéquipier s'empare de la rondelle et peut écouler du temps ou dégager son territoire.

CONSEIL

Si votre adversaire s'attaque à votre bâton, utilisez la jambe pour le protéger.

- Une manière de ne pas perdre une mise en jeu importante consiste à tourner les jambes vers le coup droit de l'adversaire pour protéger la rondelle. Appuyez-vous contre lui et utilisez la lame d'un patin pour rejeter le disque en arrière.
- Quand votre adversaire s'aligne sur son côté naturel et qu'il peut tirer directement vers le filet, vous êtes en position défensive. Immobilisez son bâton en haut de la palette ou encore la palette elle-même. Tentez de demeurer entre le centre adverse et votre filet au cas où il réussirait à tirer et qu'il y ait un retour de lancer.

Être prêt

En tant que gardien, personne ne doit vous dire quoi faire quand vous faites face au jeu de puissance. Vous êtes celui en ce moment qui va égaliser les chances, le joueur clé. Un gardien de but intelligent peut grandement augmenter l'efficacité de la brigade défensive en désavantage numérique.

En désavantage, vous devez utiliser tous les trucs du métier. Ne gaspillez pas votre énergie. Demeurez debout. Soyez prêt pour les retours de lancer. N'abandonnez pas devant les tirs voilés. Attendez-les. Baissez la tête et cherchez la rondelle entre les jambes devant vous.

Et surtout ne blâmez personne quand l'équipe adverse marque. Pour qu'il y ait but, votre équipe doit commettre aux moins deux erreurs dont l'une vous est imputable. La brigade défensive se démène devant vous et travaille dur, n'arrêtez jamais de les appuyer.

CONSEIL

En désavantage, vous avez la chance de montrer votre talent. Bienvenue à la rondelle dans votre zone, vous l'attendez de pied ferme.

Les tirs voilés ne doivent pas vous servir d'excuse. Gardez les yeux sur la rondelle. Il est plus facile de voir entre les jambes qu'à travers les corps.

Tory Malinoski aide ses coéquipiers en déviant les tirs bas vers les coins et en évitant de causer des retours de lancers dangereux.

Garder le but en désavantage numérique

Les pénalités sont épuisantes pour les gardiens. Aussi doivent-ils s'entraîner sérieusement pour être capables de supporter cet effort intense. Avant chaque match, Mike Richter parcourt à la course le corridor qui fait le tour du Madison Square Garden au niveau de la glace. Suivez son exemple.

Ne pas réagir à l'excès

Deux ou cinq minutes peuvent paraître une éternité. Ne vous énervez pas. Prenez un lancer à la fois. Ne vous avancez pas trop pour réduire l'angle lors d'un lancer de la pointe. Si le tir est à l'extérieur, il pourrait être dévié par un ailier posté derrière vous.

Comment faire face

Quand le jeu se déploie près du filet, demeurez entre les poteaux et concentrez-vous sur le tireur comme toujours mais en pensant à l'éventualité d'une passe. Vous pouvez forcer le tireur à passer en demeurant debout et en vous déplaçant latéralement. Plus l'adversaire fait de passes, meilleur c'est pour vous. À un certain moment, il commettra une erreur et votre équipe récupérera le disque. Si vous tenez bien votre position, très souvent vous n'aurez même pas à faire d'arrêt parce qu'il n'y aura pas de tir.

Repoussez les tirs bas vers l'extérieur. Réjouissez-vous quand le tir de la pointe est haut. Une fois le disque dans votre mitaine, tout va bien.

Profitez de toutes les occasions de répit. Prenez une gorgée d'eau chaque fois que le jeu est arrêté et pendant ce temps dites-vous que le prochain arrêt sera le plus important. Dès que vous avez un doute et que vous le pouvez, immobilisez la rondelle. Si l'arbitre hésite avant de siffler, vous venez de gagner quelques précieuses secondes.

Garder le but en désavantage numérique

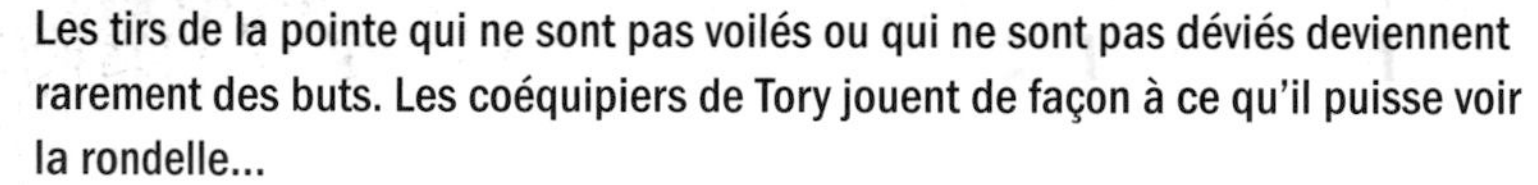

Les tirs de la pointe qui ne sont pas voilés ou qui ne sont pas déviés deviennent rarement des buts. Les coéquipiers de Tory jouent de façon à ce qu'il puisse voir la rondelle...

...mais la brigade défensive n'est jamais parfaite. Le gardien doit parfois faire le gros arrêt.

CONSEIL

Demandez un temps d'arrêt si vous n'êtes pas prêt pour une mise en jeu et faites-le avant que le juge de ligne soit prêt à laisser tomber la rondelle.

Être alerte durant la mise en jeu

Si vous voulez contrer le jeu de puissance en multipliant les arrêts de jeu, soyez certain que cette tactique ne se retourne pas contre vous. Si vous faites face au tir du poignet du centre adverse, préparez-vous. La plupart du temps, le centre va tenter de remettre la rondelle à l'ailier posté dans le couloir central et la plupart des tirs qui viennent de cette zone sont voilés. Préparez-vous. Ne cherchez pas d'excuse.

Manier la rondelle

Intercepter la rondelle derrière votre filet est extrêmement important quand vous écoulez une pénalité. Attendez-vous à ces tirs profonds quand votre défensive bloque la ligne bleue. Arrêtez le disque et regardez qui vient vers vous. Si vous pouvez projeter la rondelle hors de la zone en la soulevant, c'est un avantage de plus pour votre équipe. Mais ne tentez pas de le faire durant un vrai match à moins d'être certain de réussir le coup à chaque occasion.

Quand la rondelle est dans votre mitaine et qu'un coéquipier à découvert est près de vous, déposez doucement le disque sur la glace.

Communiquer

Certains gardiens s'enferment dans leur coquille quand la pression est forte. Pourtant, vous êtes le seul de votre équipe qui peut voir à peu près l'ensemble du jeu. Dites à vos joueurs qu'il y a un attaquant libre près de vous. Souvent l'ailier offensif qui joue profondément va tenter de se placer près du côté faible du filet. Dites-le à votre défenseur. Quand il ne reste que 30 secondes, avertissez vos joueurs. Souvent les défenseurs vont tourner le dos aux attaquants pour se précipiter vers le disque. Si un joueur adverse est à proximité, prévenez le défenseur.

S'il y a deux joueurs adverses, criez : « Deux ! » Si le défenseur prend le contrôle de la rondelle et qu'un joueur adverse se présente derrière lui, criez : « Derrière toi ! ». Ne dites que deux ou trois mots pour transmettre vos instructions.

CONSEIL DE LA LNH

« Durant un désavantage, j'essaie de communiquer avec mes coéquipiers. Je leur dis s'ils disposent de temps ou s'ils sont pressés. Parler est très important. »

RON TUGNUTT

D'aussi belles occasions ne se présentent pas souvent, même au cours des meilleurs jeux de puissance. Tory se déplace latéralement avec l'attaquant.

Ce deux contre un, comme tous les autres, est en fait un deux contre deux. Le second défenseur est le gardien qui surveille le tireur.

L'équipe de « *À la manière de la LNH* »

NOTRE COMITÉ CONSULTATIF D'ENTRAÎNEURS

Paul Carson, directeur du développement, Hockey Canada (Calgary).

Pat Quinn, entraîneur-chef des Maple Leafs de Toronto. Deux fois récipiendaire du trophée Jack Adams en tant qu'entraîneur de l'année dans la LNH.

Marc Crawford, entraîneur-chef des Canucks de Vancouver.

Ken Hitchcock, entraîneur-chef des Flyers de Philadelphie.

Dave King, ancien entraîneur-chef des Flames de Calgary et des Blue Jackets de Columbus.

Peter Twist, auteur de *Complete Conditioning for Ice Hockey* (Human Kinetics, 1997).

Terry Bangen, conseiller spécial des Stars de Dallas.

Ian Clark, entraîneur des gardiens de but des Canucks de Vancouver.

Barb Aidelbaum, entraîneur de patinage de puissance et directeur du patinage au Arbutus Club de Vancouver.

Jack Cummings, coordinateur hockey au Hollyburn Country Club de Vancouver-Ouest.

Bill Holowaty, troisième marqueur dans l'histoire des Thunderbirds de l'UBC et joueur dans la Ligue professionnelle du Japon avec les Lions de Siebu.

Ken Melnyk, auteur d'un manuel d'instructions pour les joueurs « tyke » et atomes du programme de hockey mineur de Delta, en Colombie-Britannique.

NOS JOUEURS

Daniel Birch
Jesse Birch
Kellin Carson
Shae Dehaan
Tyler Dietrich
Nicolas Fung
Michael Garagan
Tyler Hansen
Brandon Hart
Will Harvey
Dylan Herold
Luke Holowaty
Brad Irving
Tara Khan
Derek MacKenzie
Jaysen Mah
Tory Malinoski
Michelle Marsz
Brian Melnyk
David Mercer
Lance Quan
Shayne Russell
Keith Seabrook
Jordan Sengara
Dane Stevens
Brooks Stillie
Rob Tokawa
Kendall Trout
Scott Tupper

PHOTOS

Stefan Shulhof/Shulhof Photography, excepté :

Bruce Bennett Studios : pp. ii, 33, 36, 58, 104, 115 et 148 par Bruce Bennett ; pp. 4, 34, 71, 90, 99, 120 et 133 par Jim McIsaac ; pp. 8 et 11 par Wen Roberts ; p. 142 par John Giamundo

NHL Images : p. 49 par Kent Smith ; p. 64 par Tim DeFrisco

Jessica Bushey/Canucks de Vancouver : p. 12